LE TOP 100 DES CRÉATURES EFFRAYANTES

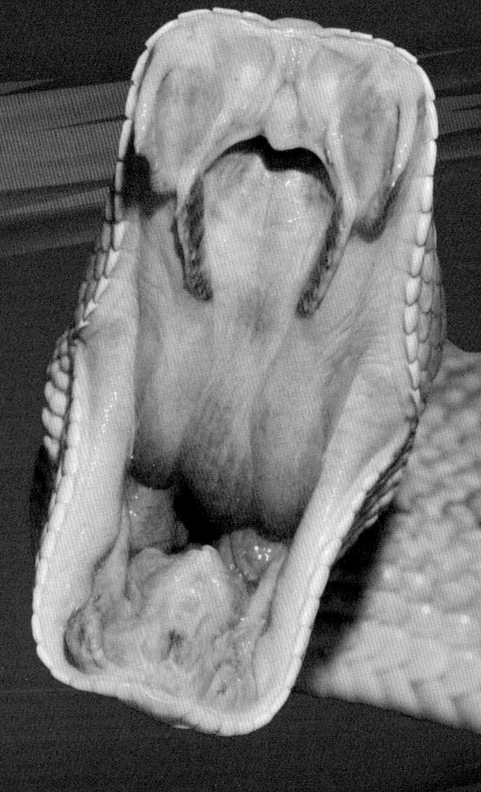

Catalogage avant publication de Bibliothèque et Archives nationales du Québec et Bibliothèque et Archives Canada

Claybourne, Anna

Le top 100 des créatures effrayantes

Traduction de : 100 most feared creatures.

Pour les jeunes de 9 à 12 ans.

ISBN 978-2-89654-387-8

1. Animaux dangereux – Ouvrages pour la jeunesse. I. Titre. II. Titre: Top cent des créatures effrayantes.

QL100.C52214 2013 j591.6'5 C2013-940719-7

Nous reconnaissons l'aide financière du gouvernement du Canada par l'entremise du Fonds du livre du Canada pour nos activités d'édition. Nous remercions également l'Association pour l'exportation du livre canadien (AELC), ainsi que le gouvernement du Québec : Programme de crédit d'impôt pour l'édition de livres – la Société de développement des entreprises culturelles (SODEC).

Titre original : *100 most feared creatures*

Conçu et édité par Marshall Editions
The Old Brewery
6 Blundell Street, London N7 9BH
www.quarto.com

Directeur éditorial : Carey Scott
Éditeur : Zeta Davies
Design : Dave Ball

Responsable d'édition : Carey Scott
Production : Nikki Ingram

Imprimé et relié en Chine par Toppan Leefung Printers Ltd

Pour l'édition canadienne en langue française :

Dépôt légal – Bibliothèque et archives nationales du Québec
3e trimestre 2013

Traduction : Véronique Bureau

Révision : Andrée Laprise

ISBN : 978-2-89654-387-8

LE TOP 100 DES CRÉATURES EFFRAYANTES

Broquet

97-B, Montée des Bouleaux, Saint-Constant, Qc, Canada, J5A 1A9
Internet : www.broquet.qc.ca – Courriel : info@broquet.qc.ca
Tél. : 450 638-3338 – Téléc. : 450 638-4338

TABLE DES MATIÈRES

D'EFFRAYANTES CRÉATURES

Prenez garde ! Le monde est rempli de créatures effrayantes qui peuvent piquer, mordre, empoisonner, charger ou vous piétiner si vous les ennuyez ou si vous êtes tout simplement trop près d'elles. Elles peuvent être minuscules, comme la fourmi balle de fusil, dotée d'un douloureux et cauchemardesque dard, ou massif, tel un éléphant qui charge. Les animaux pouvant causer la mort vivent dans toutes sortes d'endroits, depuis le fond des mers jusqu'au grenier de votre maison. Certains survivent même en s'infiltrant dans votre corps et en vous grignotant de l'intérieur !

Ahhhhhh ! Au secours !

Ne vous inquiétez pas trop ! La plupart de ces dangereuses bêtes vous laisseront tranquille si vous les ignorez. Elles vivent principalement dans des régions éloignées, des contrées lointaines ou à l'abri dans un jardin zoologique. Et, heureusement, il existe des traitements médicaux, pour la plupart des types de morsures et piqûres d'animaux dangereux, pour vous tirer d'un mauvais pas.

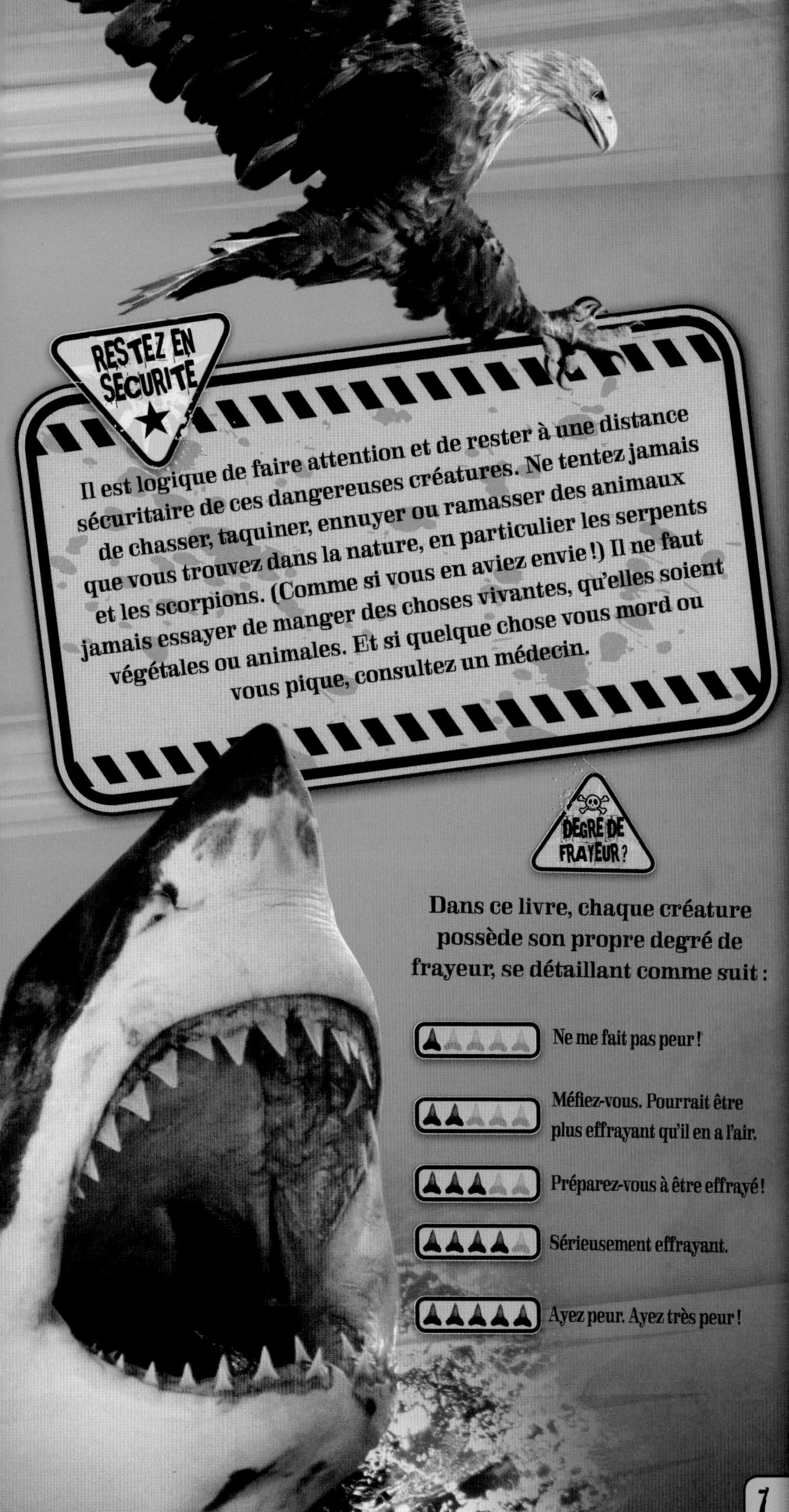

Il est logique de faire attention et de rester à une distance sécuritaire de ces dangereuses créatures. Ne tentez jamais de chasser, taquiner, ennuyer ou ramasser des animaux que vous trouvez dans la nature, en particulier les serpents et les scorpions. (Comme si vous en aviez envie !) Il ne faut jamais essayer de manger des choses vivantes, qu'elles soient végétales ou animales. Et si quelque chose vous mord ou vous pique, consultez un médecin.

DEGRÉ DE FRAYEUR ?

Dans ce livre, chaque créature possède son propre degré de frayeur, se détaillant comme suit :

- Ne me fait pas peur !
- Méfiez-vous. Pourrait être plus effrayant qu'il en a l'air.
- Préparez-vous à être effrayé !
- Sérieusement effrayant.
- Ayez peur. Ayez très peur !

LES VIPÈRES

Il existe plus de 200 espèces ou types de vipères, et elles sont toutes effroyablement venimeuses. Avec leurs longs crocs acérés et leur puissant corps, la plupart d'entre elles peuvent mordre vite et fort.

5 LA VIPÈRE DU GABON

LONGUEUR : 1,2 – 2,2 m

ARMES FATALES : Crocs mesurant jusqu'à 5 cm. Elle est l'une des plus longues de toutes les vipères venimeuses.

HABILETÉS EFFRAYANTES : Elle peut faire pivoter ses yeux pour ainsi voir dans toutes les directions.

DEGRÉ DE FRAYEUR ?

4 LE CROTALE

LONGUEUR : 1 – 2,4 m

ARMES FATALES : Puissant venin qui ronge la chair. Beurk !

HABILETÉS EFFRAYANTES : Il utilise les anneaux de peau séchée sur sa queue pour faire un bruit de cliquetis sinistre en guise d'avertissement.

DEGRÉ DE FRAYEUR ?

3 LA VIPÈRE HÉBRAÏQUE

DEGRÉ DE FRAYEUR ?

LONGUEUR : 1 – 1,5 m

ARMES FATALES : A des crocs extra longs qui peuvent injecter le venin profondément dans la peau.

HABILETÉS EFFRAYANTES : Elle peut gonfler son corps pour paraître encore plus effrayante.

2 LE FER DE LANCE

LONGUEUR : 1,2 – 2 m

ARMES FATALES : Comme la plupart des serpents, le fer de lance possède des fossettes sur son visage qui l'aident à détecter ses proies par leur chaleur corporelle.

HABILETÉS EFFRAYANTES : La plupart des serpents fuient le danger, mais le fer de lance commun est connu pour rester et attaquer les gens !

DEGRÉ DE FRAYEUR ?

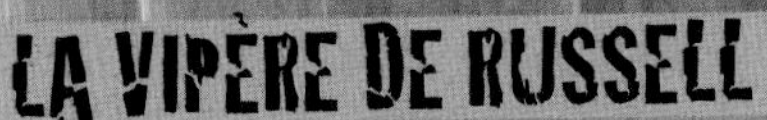

1

La vipère de Russell, brune et tachetée, demeure en Asie dans les champs des agriculteurs, où les gens la dérangent souvent ou marchent dessus par erreur. Lorsqu'elle mord, son venin provoque une douleur terrible, de l'enflure et des saignements sur tout le corps. Ça alors ! La médecine peut vous sauver, mais de nombreuses victimes vivent trop loin d'un hôpital pour y arriver à temps.

LONGUEUR : 1 – 1,6 m

ARMES FATALES : Elle a des mâchoires puissantes qui serrent fort et restent accrochées après avoir mordu.

HABILETÉS EFFRAYANTES : Peut frapper avec une telle énergie et une telle vitesse qu'elle saute presque en l'air !

DEGRÉ DE FRAYEUR ?

FAITS MORTELS

Les vipères peuvent replier leurs crocs lorsqu'ils ne sont pas nécessaires, puis les sortir en un clin d'œil, prêts à frapper.

LES COBRAS

Ils se cabrent, se balancent de gauche à droite et gonflent leur cou, déployant leur « coiffe ». Les cobras sont bien connus et largement redoutés en Asie et en Afrique, où ils vivent.

5

LE COBRA DES FORÊTS

LONGUEUR : 1,5 – 3 m

ARMES FATALES : Attitude agressive et venin très toxique.

HABILETÉS EFFRAYANTES : Il s'adapte très facilement. Il peut vivre dans les villes et grimper aux arbres.

4

LE COBRA ROYAL

LONGUEUR : 2,4 – 5,5 m

ARMES FATALES : Sa taille est gigantesque. Il est le plus long serpent venimeux au monde.

HABILETÉS EFFRAYANTES : Ses sifflements font un bruit effrayant !

3

LE COBRA CRACHEUR GÉANT

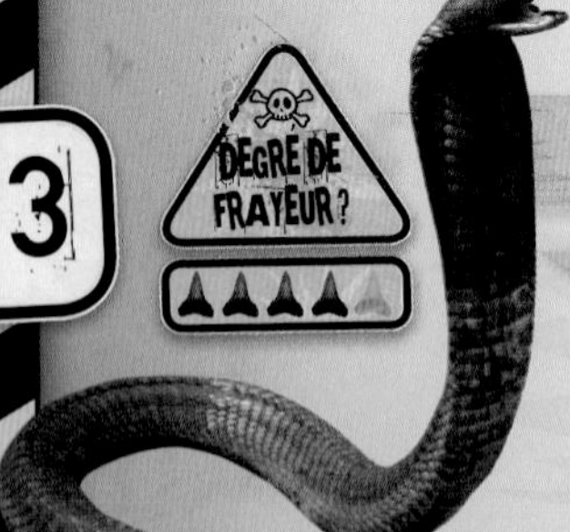

LONGUEUR : 2,7 m

ARMES FATALES : Il possède de grosses glandes à venin qui peuvent injecter une dose massive de poison mortel.

HABILETÉS EFFRAYANTES : Il peut tirer un jet de venin aveuglant dans les yeux de ses ennemis.

2

LE COBRA CRACHEUR DES PHILIPPINES

LONGUEUR : 1 – 1,6 m

ARMES FATALES : Possède le venin de cobra le plus meurtrier, provoquant une paralysie et des troubles respiratoires en moins de 30 minutes.

HABILETÉS EFFRAYANTES : Peut cracher son venin avec précision jusqu'à une distance de 3 m !

LE COBRA À LUNETTES

Aussi appelé le cobra indien, ce serpent est l'un des plus célèbres et des plus redoutés dans toute l'Asie. Des milliers de personnes sont mordues chaque année, et parce que le venin du cobra agit rapidement, causant l'arrêt du cœur ou de la capacité de respirer, plusieurs ne survivent pas.

LONGUEUR : 1,5 – 2,4 m

ARMES FATALES : Un venin tueur et une attitude audacieuse.

HABILETÉS EFFRAYANTES : Déploie sa coiffe pour révéler les marques en forme de lunettes sur son cou.

DEGRÉ DE FRAYEUR ?

FAITS MORTELS

Les cobras déploient leur « coiffe » en aplatissant les os de leur cou. Contrairement aux humains et à la plupart des autres animaux, les serpents ont des côtes tout le long de leur corps.

LES SERPENTS DE MER

Saviez-vous que certains serpents vivent dans la mer ? Les serpents de mer ont un corps aplati et une queue pour les aider à nager et ils possèdent un venin mortel pour attaquer leurs proies.

5 LE COBRA DE MER

LONGUEUR : 0,6 – 1,5 m

ARMES FATALES : Possède un venin extrêmement mortel, mais il mord rarement.

HABILETÉS EFFRAYANTES : Ce serpent de mer monte sur terre et grimpe aux arbres en plus de nager dans la mer, soyez prudent !

4 LE SERPENT DE MER À VENTRE JAUNE

LONGUEUR : 60 – 90 cm

ARMES FATALES : Morsure venimeuse dangereusement mortelle.

HABILETÉS EFFRAYANTES : Peut rester sous l'eau pendant trois heures avant de remonter à la surface pour respirer.

3 LE SERPENT DE MER OLIVE

LONGUEUR : 1 – 1,6 m

ARMES FATALES : Ses crocs acérés sont les plus longs des crocs de tous les serpents de mer et peuvent même mordre à travers une combinaison de plongée.

HABILETÉS EFFRAYANTES : Sa queue peut détecter la lumière, comme un œil, mais les experts ne savent pas encore pourquoi !

2 L'ASTROTIE DE STOKES

LONGUEUR : 1,2 – 1,8 m

ARMES FATALES : Un corps volumineux qui lui donne une grande force.

HABILETÉS EFFRAYANTES : S'enroule autour de ses victimes et les tient fortement tout en les mordant.

LE SERPENT DE MER À BEC

La plupart des serpents de mer sont naturellement peureux, mais le serpent de mer à bec est colérique et agressif. Lorsqu'il s'énerve, il mord plutôt que d'aller nager plus loin. C'est malheureux, parce que le venin d'une seule morsure de ce serpent de mer est assez puissant pour tuer plus de 50 personnes !

LONGUEUR : 0,6 – 1,5 m

ARMES FATALES : Les experts croient qu'il possède le venin le plus toxique de tous les serpents de mer.

HABILETÉS EFFRAYANTES : Se tapit en eau peu profonde, dans l'eau boueuse près de la rive.

DEGRÉ DE FRAYEUR ?

FAITS MORTELS

Les serpents de mer possèdent de minces et fragiles crocs. S'ils vous mordent, leurs crocs peuvent casser et rester coincés dans votre peau. Aïe !

LES SERPENTS ÉLAPIDÉS

Cette famille de serpents se trouve partout dans le monde. Bien que les serpents élapidés possèdent de petites dents non mobiles, certains d'entre eux sont les serpents les plus meurtriers et effrayants de tous.

5 LE SERPENT CORAIL

DEGRÉ DE FRAYEUR ?

LONGUEUR : 0,4 – 1,1 m

ARMES FATALES : Les serpents corail ont le venin le plus meurtrier de tous les serpents d'Amérique du Nord.

HABILETÉS EFFRAYANTES : Ils s'enfuient dans le sol pour se cacher.

4 LA VIPÈRE DE LA MORT

LONGUEUR : 60 – 90 cm

ARMES FATALES : Possède un venin extrêmement mortel.

HABILETÉS EFFRAYANTES : Peut utiliser son bout de queue étroit comme appât pour attirer ses proies.

DEGRÉ DE FRAYEUR ?

3 LE TAÏPAN DU DÉSERT

DEGRÉ DE FRAYEUR ?

LONGUEUR : 1,5 – 2,4 m

ARMES FATALES : Possède le venin le plus toxique de tous les serpents terrestres. Une seule morsure est suffisante pour tuer 100 personnes.

HABILETÉS EFFRAYANTES : Change de couleur tout au long de l'année, ce qui le rend difficile à reconnaître.

2 LE BONGARE INDIEN

LONGUEUR : 0,6 – 1,7 m

ARMES FATALES : Son venin est plus toxique que celui d'un cobra, ce qui en fait l'un des serpents les plus redoutés de l'Inde.

HABILETÉS EFFRAYANTES : Devient actif la nuit et il peut se faufiler dans les maisons et même dans les lits !

DEGRÉ DE FRAYEUR ?

LE MAMBA NOIR

1

Ayez peur, très peur ! Ce serpent africain, massif, rapide et meurtrier, est l'un des plus dangereux et redouté sur la planète. Il peut se déplacer à une vitesse fulgurante et mordre à plusieurs reprises. Sans traitement, une morsure de mamba noir peut tuer en 20 minutes seulement.

LONGUEUR : 2 – 4,5 m

ARMES FATALES : Il a non seulement un venin super puissant, mais il est aussi incroyablement féroce.

HABILETÉS EFFRAYANTES : Le plus rapide serpent sur terre, pouvant ramper à des vitesses allant jusqu'à 20 km/h.

DEGRÉ DE FRAYEUR ?

FAITS MORTELS

Le mamba noir tire son nom de sa gorge et de sa langue noires, qu'il montre lorsqu'il est en colère.

LES SERPENTS COLUBRIDÉS

Les colubridés sont la plus grande famille de serpents, comptant près de 2000 espèces. Ils n'injectent pas beaucoup de venin, et peu de colubridés sont dangereux, mais il y a des exceptions...

5 LE SERPENT BRUN D'ARBRE

LONGUEUR : 0,9 – 1,8 m

ARMES FATALES : Assez venimeux pour blesser un enfant.

HABILETÉS EFFRAYANTES : Se cabre avec colère s'il se sent coincé.

DEGRÉ DE FRAYEUR ?

4 LE YAMAKAGASHI

LONGUEUR : 60 – 80 cm

ARMES FATALES : Possède un venin extrêmement toxique.

HABILETÉS EFFRAYANTES : Collecte des produits chimiques toxiques provenant des crapauds qu'il mange et utilise pour repousser les prédateurs.

3 LE SERPENT-OISEAU

LONGUEUR : 0,8 – 1,4 m

ARMES FATALES : Sa morsure est mortelle et il n'y a aucun sérum antivenimeux connu. Par contre, il mord rarement.

HABILETÉS EFFRAYANTES : Excellent camouflage : lorsqu'il est dans un arbre, il ressemble à une branche.

DEGRÉ DE FRAYEUR ?

2 LE SERPENT LIANE

LONGUEUR : 1 – 1,6 m

ARMES FATALES : Il possède peut-être le venin le plus toxique en Afrique.

HABILETÉS EFFRAYANTES : Lorsqu'il mord, il ouvre grand sa mâchoire afin de libérer le plus de venin possible.

LE SERPENT D'ARBRE DU CAP

Le serpent d'arbre du Cap est le plus redouté des serpents colubridés du monde. Capable de monter aux arbres, c'est un gros serpent de différentes couleurs avec de grands yeux noirs. Comme d'autres colubridés, il n'est pas agressif, mais sa morsure peut tuer. Le venin du serpent d'arbre du Cap est lent à agir, donc les victimes pensent souvent à tort qu'elles sont saines et sauves, jusqu'à ce qu'il soit trop tard !

LONGUEUR : 1,2 – 2 m

ARMES FATALES : Possède un venin dangereux qui peut ne pas donner de symptômes au moment de la morsure, mais qui provoque ensuite de graves saignements de tous les orifices du corps.

HABILETÉS EFFRAYANTES : Il peut gonfler son cou comme un ballon afin de paraître plus gros.

DEGRÉ DE FRAYEUR ?

1

FAITS MORTELS

Les victimes de morsures du serpent d'arbre du Cap peuvent avoir besoin de transfusions sanguines. Si elles ne sont pas traitées, elles peuvent saigner à mort.

LES SERPENTS CONSTRICTEURS

Ces serpents tuent par constriction, en seeeeerrant leur proie étroitement pour l'empêcher de respirer. Une fois que la victime est morte, le serpent la mange en entier.

5

LE BOA CONSTRICTEUR

LONGUEUR: 1 – 4 m

ARMES FATALES: Bien qu'il ne tue pas par morsure, un boa en colère peut vous serrer désagréablement.

HABILETÉS EFFRAYANTES: Le boa constricteur est extrêmement fort, d'ailleurs il se sert de sa force pour tuer ses proies.

DEGRÉ DE FRAYEUR?

4

LE PYTHON DE BIRMANIE

LONGUEUR: 3 – 7 m

ARMES FATALES: Tout comme pour d'autres serpents, ses mâchoires peuvent ouvrir beaucoup plus largement que sa tête afin de dévorer de grosses proies en entier.

HABILETÉS EFFRAYANTES: Bon nageur, il se cache souvent sous l'eau.

DEGRÉ DE FRAYEUR?

3

LE PYTHON DES ROCHES

LONGUEUR: 4 – 6 m

ARMES FATALES: C'est le plus grand serpent d'Afrique, il est très grand et fort.

HABILETÉS EFFRAYANTES: Il possède des capteurs thermiques sur ses mâchoires et une langue qui détecte les proies à l'odeur.

DEGRÉ DE FRAYEUR?

2

LE PYTHON RÉTICULÉ

LONGUEUR: 3 – 9 m

ARMES FATALES: Le plus long serpent du monde.

HABILETÉS EFFRAYANTES: Il peut avaler des animaux aussi gros que des cochons sauvages, des cerfs et parfois même des humains- Beurk!

DEGRÉ DE FRAYEUR?

L'ANACONDA VERT

L'anaconda vert de l'Amérique du Sud est le plus grand, le plus fort et le plus lourd serpent du monde. S'il décide de s'enrouler autour de vous et de vous étouffer, il n'y aura pas d'échappatoire ! Les anacondas verts adorent l'eau et aiment bien glisser dans les marécages et les rivières peu profondes.

LONGUEUR : 6 – 9 m

ARMES FATALES : Il possède une grosse tête et d'énormes mâchoires puissantes pour qu'il puisse attraper ses proies avant de s'envelopper autour d'elles.

HABILETÉS EFFRAYANTES : Peut survivre pendant des mois sans manger.

FAITS MORTELS

Après un repas, un constricteur se repose pendant que de puissants produits chimiques dans son estomac dissolvent et digèrent complètement ses proies, même les os, les dents, la peau et les cornes !

LES CROCODILES ET LES ALLIGATORS

Cet ordre de reptiles comprend les crocodiles, les caïmans, les gavials et les alligators. Plusieurs personnes ont péri aux griffes de ces féroces animaux.

5 LE CROCODILE AMÉRICAIN

DEGRÉ DE FRAYEUR ?

LONGUEUR : 2,4 – 4,6 m

ARMES FATALES : Possède des dents coniques et acérées et de grosses griffes.

HABILETÉS EFFRAYANTES : Peut se cacher sous l'eau, alors que seuls ses yeux et ses narines sont visibles.

4 LE CAÏMAN NOIR

DEGRÉ DE FRAYEUR ?

LONGUEUR : 3 – 6 m

ARMES FATALES : Il est de grande taille et est très fort, ce qui lui permet d'attaquer de grosses proies.

HABILETÉS EFFRAYANTES : Il possède une excellente vue et une bonne ouïe pour la chasse de nuit.

3 L'ALLIGATOR D'AMÉRIQUE

DEGRÉ DE FRAYEUR ?

LONGUEUR : 1,7 – 4 m

ARMES FATALES : Possède de larges mâchoires d'une énorme force.

HABILETÉS EFFRAYANTES : Utilise sa queue puissante pour s'élancer hors de l'eau afin d'attraper des proies sur la rive.

2 LE CROCODILE DU NIL

LONGUEUR : 3 – 6 m

ARMES FATALES : Possède une queue puissante qui peut être utilisée pour emprisonner les poissons et les manger.

HABILETÉS EFFRAYANTES : Comme d'autres crocodiles, il déchire violemment sa proie en pièces.

DEGRÉ DE FRAYEUR ?

LE CROCODILE MARIN

Le crocodile d'eau salée ou marin est le plus grand crocodile, et le plus grand reptile dans le monde entier. Nous croyons que le crocodile marin peut engloutir plusieurs personnes par an, principalement en Australie. Il peut sauter en avant et saisir sa proie si vite qu'elle n'a pas le temps de s'échapper.

LONGUEUR : 2,7 – 7 m

ARMES FATALES : Possède des mâchoires très longues et larges, ce qui le rend extrêmement dangereux pour les humains.

HABILETÉS EFFRAYANTES : Il peut vivre en eau salée, mais aussi dans les rivières et les marais, de sorte qu'il sort souvent de la mer.

FAITS MORTELS

Les crocodiles et les alligators se laissent généralement glisser sur le ventre, mais peuvent également atteindre des vitesses allant jusqu'à 19 km/h.

LES LÉZARDS

Plusieurs lézards sont de petite taille, et certains sont même mignons. Mais il y en a aussi quelques-uns d'étranges, d'effrayants et de vraiment monstrueux !

5 LE TAPAYA DU TEXAS

LONGUEUR : 6,4 – 10 cm

ARMES FATALES : Il ressemble à un dinosaure plein de piquants, mais ce lézard est assez petit et n'est vraiment meurtrier que pour les insectes qu'il chasse.

HABILETÉS EFFRAYANTES : Il lance du sang sur ses ennemis avec ses yeux !

4 LE MONSTRE DE GILA

LONGUEUR : 40 – 60 cm

ARMES FATALES : Sa morsure est venimeuse et très douloureuse.

HABILETÉS EFFRAYANTES : Après avoir mordu, il referme sa mâchoire et mâche fort, aïe !

DEGRÉ DE FRAYEUR ?

3 LE VARAN DU NIL

LONGUEUR : 0,8 – 2,4 m

ARMES FATALES : Possède des dents et des griffes acérées ainsi qu'une énorme queue qui fouette.

HABILETÉS EFFRAYANTES : Peut flairer sa proie avec sa langue fourchue, comme un serpent.

2 LE LÉZARD PERLÉ MEXICAIN

LONGUEUR : 60 – 90 cm

ARMES FATALES : Sa morsure est dangereuse et peut tuer un humain en lui causant des problèmes respiratoires.

HABILETÉS EFFRAYANTES : Le lézard perlé est immunisé contre son propre venin.

LE DRAGON DE KOMODO

Le plus grand lézard sur la Terre ressemble à un dinosaure bavant qui peut nager, déterrer des os, tuer des proies plus grandes que lui et peut attaquer les humains. Bien que ce ne soit pas vraiment un dragon, le dragon de Komodo ressemble à un monstre mythique, et c'est une bête très effrayante.

LONGUEUR : 1,5 – 3 m

ARMES FATALES : Il a des mâchoires et des griffes énormes et sa morsure est fatale, remplie de bactéries.

HABILETÉS EFFRAYANTES : Peut engloutir presque tout son poids corporel en une seule fois.

1

FAITS MORTELS

Les dragons de Komodo peuvent être cannibales, ce qui signifie qu'ils mangent d'autres dragons de Komodo. Ils sont susceptibles de s'en prendre aux jeunes, aux vieux ou aux malades.

LES GRENOUILLES

La plupart des grenouilles sont inoffensives, mais vous devriez vous méfier de quelques-unes d'entre elles. Ce sont les petites grenouilles colorées, mais venimeuses, dont la peau contient de puissantes toxines.

5 LA GRENOUILLE DENDROBATE DU TAPAJOS

LONGUEUR : 2 cm

ARMES FATALES : Le poison dans sa peau pourrait tuer jusqu'à cinq personnes.

HABILETÉS EFFRAYANTES : Comme les autres grenouilles, elle sort sa langue gluante pour attraper des insectes.

4 LA GRENOUILLE DENDROBATE TRICOLORE

LONGUEUR : 1 cm

ARMES FATALES : Les scientifiques ont constaté que son poison peut également être utilisé pour faire un puissant analgésique.

HABILETÉS EFFRAYANTES : Les mâles peuvent se mettre debout et se battre les uns contre les autres avec leurs pattes avant.

3 LA GRENOUILLE KOKOÏ

LONGUEUR : 2,5 – 3 cm

ARMES FATALES : Le contact avec sa peau toxique provoque une horrible douleur, de la fièvre, puis la paralysie.

HABILETÉS EFFRAYANTES : Effectue un appel aigu qui sonne comme le cri d'un oiseau.

2 LA GRENOUILLE DENDROBATE BICOLORE

LONGUEUR : Environ 5 cm

ARMES FATALES : Le venin de cette grenouille tue l'homme en le paralysant, ainsi il ne peut plus respirer.

HABILETÉS EFFRAYANTES : Les mâles portent leurs têtards en les collant sur leur dos !

LE KOKOÏ DE COLOMBIE

1

Cette grenouille jaune vif ou dorée est la grenouille la plus dangereuse de toutes. Son poison est parmi les poisons les plus meurtriers de tous les animaux. La toxine dans la peau du kokoï de Colombie pourrait tuer jusqu'à dix êtres humains. Vous ne devriez jamais en toucher un, ou quelque chose qui l'a touché !

LONGUEUR : Environ 5 cm

ARMES FATALES : Outre sa peau meurtrière, il possède des dents.

HABILETÉS EFFRAYANTES : Le kokoï possède des disques-ventouses sur ses pieds pour l'aider à grimper.

FAITS MORTELS

En Amérique du Sud, des populations autochtones frottent leurs flèches sur le dos de ces grenouilles pour empoisonner leurs armes.

LES CRAPAUDS ET LES SALAMANDRES

Comme les grenouilles venimeuses, les crapauds et les salamandres (y compris les tritons, un type de salamandre) possèdent des poisons mortels dans leur peau et sont de couleurs vives pour avertir les prédateurs du danger.

5 LE TRITON RUGUEUX

LONGUEUR : 12 – 20 cm

ARMES FATALES : La toxine de sa peau peut brûler si on la touche, et même tuer en cas d'ingestion.

HABILETÉS EFFRAYANTES : Se faufile lentement sur sa proie, puis l'attaque.

DEGRÉ DE FRAYEUR ?

4 LE PLEURODÈLE DE WALTL

DEGRÉ DE FRAYEUR ?

LONGUEUR : 20 – 30 cm

ARMES FATALES : Possède des verrues orange sur ses côtés qui libèrent le poison, mais il n'est pas très dangereux pour les humains.

HABILETÉS EFFRAYANTES : Il a de petites côtes aiguisées sur les côtés qui créent des épines empoisonnées !

3 LA SALAMANDRE TACHETÉE

LONGUEUR : 20 – 30 cm

ARMES FATALES : Elle libère du poison paralysant sur son cou et son dos lorsqu'elle est attaquée.

HABILETÉS EFFRAYANTES : Sa langue est collante pour l'aider à attraper une proie.

DEGRÉ DE FRAYEUR ?

2 LE CRAPAUD SONNEUR

LONGUEUR : 3 – 5 cm

ARMES FATALES : Possède des glandes libératrices de poison derrière la tête.

HABILETÉS EFFRAYANTES : Lorsqu'il est menacé, le crapaud se relève pour montrer son ventre orange vif.

DEGRÉ DE FRAYEUR ?

LE CRAPAUD GÉANT

Ce crapaud est énorme et lourd et est recouvert de verrues, mais il n'est généralement pas mortel pour les humains. Par contre, partout où il va, les animaux comme les serpents et les lézards meurent en tentant de le manger. Les chiens et autres animaux de compagnie sont souvent empoisonnés par les crapauds géants.

LONGUEUR : 10 – 15 cm

ARMES FATALES : Libère un poison mortel d'aspect laiteux à partir de glandes sur son cou.

HABILETÉS EFFRAYANTES : Se battra avec ses attaquants en essayant de frotter ses glandes à venin sur eux !

DEGRÉ DE FRAYEUR ?

1

FAITS MORTELS

Les glandes à venin sous la peau des crapauds ressemblent à des verrues, mais les toucher ne vous donnera pas de verrues !

LES REQUINS REQUIEM

Les requins requiem font partie d'une famille de requins pour la plupart de grande taille, ils sont féroces et rapides, et plusieurs sont dangereux. Ils ont de longs corps profilés, des museaux pointus et de grosses queues.

5 LE REQUIN CITRON

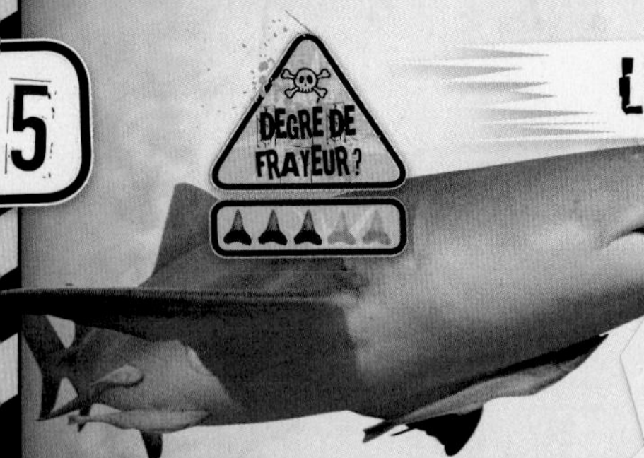

LONGUEUR : 2,4 – 3 m

ARMES FATALES : Sa morsure est très puissante. Attaque occasionnellement les humains.

HABILETÉS EFFRAYANTES : Utilise sa peau couleur gris-jaunâtre pour se camoufler sur les fonds sableux.

4 LE REQUIN BLEU

LONGUEUR : 1,8 – 3,7 m

ARMES FATALES : Nage très vite. Peut atteindre une vitesse de 69 km/ h.

HABILETÉS EFFRAYANTES : A de très grands yeux qui lui donnent une excellente vue.

3 LE REQUIN À LONGUES NAGEOIRES

LONGUEUR : 1,5 – 4 m

ARMES FATALES : Possède de grosses mâchoires et des dents solides.

HABILETÉS EFFRAYANTES : Il est obstiné : revient pour attaquer ses proies encore et encore.

2 LE REQUIN BOULEDOGUE

LONGUEUR : 2 – 3,3 m

ARMES FATALES : A des dents tranchantes qui déchirent ses proies lorsque le requin se débat.

HABILETÉS EFFRAYANTES : Peut nager hors de la mer jusqu'aux rivières et lacs, où il peut attaquer les nageurs.

LE REQUIN-TIGRE

De tous les requins requiem, l'énorme requin-tigre affamé est sans doute le plus effrayant. Une fois qu'il perçoit quelque chose de savoureux, généralement des calmars, des tortues, des phoques ou parfois des humains, il ne reculera devant rien pour traquer et dévorer sa proie.

LONGUEUR: 2,7 – 4 m

ARMES FATALES: A de très grandes dents pointues.

HABILETÉS EFFRAYANTES: Attaque et mange presque n'importe quoi, ce qui en fait un requin très dangereux.

FAITS MORTELS

Certains requins requiem se rassemblent autour de catastrophes en mer, comme des accidents d'avion et des naufrages, à la recherche de collations savoureuses.

LES MAQUEREAUX ET LES REQUINS-MARTEAUX

Ce groupe comprend certains monstres du monde des requins, y compris le plus redouté de tous, le grand requin blanc, qui est responsable de la plupart des attaques de requins sur les humains.

5 LE REQUIN-TAUREAU

DEGRÉ DE FRAYEUR ?

LONGUEUR : 2,4 – 3,4 m

ARMES FATALES : Possède une bouche pleine de dents effrayantes, mais il mord rarement les humains.

HABILETÉS EFFRAYANTES : Il aime avaler sa proie tout entière.

4 LE REQUIN-MARTEAU COMMUN

LONGUEUR : 2 – 4 m

ARMES FATALES : Comme d'autres requins-marteaux, son étrange tête large lui permet de repérer une proie dans les fonds marins.

HABILETÉS EFFRAYANTES : Il chasse en grands groupes.

3 LE GRAND REQUIN-MARTEAU

LONGUEUR : 2 – 6 m

ARMES FATALES : Il est le plus grand requin-marteau.

HABILETÉS EFFRAYANTES : Utilise sa large tête pour cerner sa nourriture préférée, les raies, tout en les grignotant en morceaux.

2 LE REQUIN MAKO

LONGUEUR : 3 – 4 m

ARMES FATALES : Possède des dents extrêmement pointues, qu'il utilise parfois pour mordre les plongeurs.

HABILETÉS EFFRAYANTES : Ce requin athlétique peut sauter jusqu'à 6 m dans les airs.

LE GRAND REQUIN BLANC

1

Le grand requin blanc est le plus grand requin prédateur dans tous les océans. Il est l'une des rares espèces de requins qui peut sortir sa tête hors de l'eau avant et pendant les attaques sur ses proies. Sa gueule est si grosse qu'il peut manger un lion de mer en une seule bouchée !

LONGUEUR : 4 – 6,7 m

ARMES FATALES : Il a d'énormes mâchoires dotées de dents très grandes et fortes, provoquant de puissantes morsures.

HABILETÉS EFFRAYANTES : Comme d'autres requins, il peut trouver ses proies en détectant les signaux électriques émis par le corps des victimes.

FAITS MORTELS

Les experts pensent que les grandes attaques sur l'homme par le grand requin blanc se produisent par erreur, parce que le requin prend un nageur pour sa proie habituelle.

LES POISSONS FÉROCES

Les requins ne sont pas les seuls poissons qui veulent parfois manger un bras ou une jambe pour le déjeuner. Que vous vous baigniez dans la mer ou que vous pagayiez sur une rivière, attention à ces monstres d'eau !

5

DEGRÉ DE FRAYEUR ?

LA MURÈNE

LONGUEUR : jusqu'à 3 m

ARMES FATALES : Possède d'énormes mâchoires et des dents acérées, avec une seconde paire de mâchoires dans la gorge, beurk !

HABILETÉS EFFRAYANTES : Se cache dans les crevasses et les grottes, dans l'attente d'une proie.

4

LE POISSON TIGRE

LONGUEUR : 1 – 1,5 m

ARMES FATALES : Possède des dents effroyablement longues et pointues, en forme de cône.

HABILETÉS EFFRAYANTES : Assez courageux pour lutter contre les crocodiles !

DEGRÉ DE FRAYEUR ?

3

DEGRÉ DE FRAYEUR ?

LE PIRANHA

LONGUEUR : 15 – 46 cm

ARMES FATALES : A des dents extrêmement tranchantes pour couper la viande et les os.

HABILETÉS EFFRAYANTES : Se rassemble en bancs (groupes) afin de dévorer frénétiquement de grands animaux.

2

LE BARRACUDA

DEGRÉ DE FRAYEUR ?

LONGUEUR : jusqu'à 2 m

ARMES FATALES : Il peut nager très vite et attaquer rapidement.

HABILETÉS EFFRAYANTES : Va attaquer tout ce qui est argenté ou brillant, il ne faut pas porter de bijoux lors d'une plongée !

LE POISSON-CHAT GOONCH

Le puissant Goonch, un poisson-chat géant vivant dans les grands fleuves d'Asie, est connu comme le « poisson-chat mangeur d'hommes » pour une bonne raison. Certaines personnes pensent que ces poissons peuvent avoir appris à aimer le goût de la chair humaine après s'être nourris de cadavres sur les bûchers funéraires qui flottent parfois dans les rivières de l'Inde.

LONGUEUR : 1,5 – 2 m

ARMES FATALES : Possède des dents arrière qui emprisonnent sa proie, de sorte qu'elle ne peut pas s'échapper.

HABILETÉS EFFRAYANTES : On croit qu'il est en mesure de flairer la chair humaine. Ça alors !

FAITS MORTELS

Le Goonch peut entraîner des nageurs humains sous l'eau pour les noyer.

LES POISSONS ÉPINEUX

Certains des poissons les plus dangereux du monde n'attaquent pas en mordant. Au lieu de cela, ils ont des épines qui peuvent se piquer dans leurs victimes et injecter du venin fatal.

5

DEGRE DE FRAYEUR ?

LE POISSON-CHIRURGIEN

LONGUEUR: 15 – 51 cm

ARMES FATALES: Possède des épines venimeuses acérées comme des lames autour de la queue.

HABILETÉS EFFRAYANTES: Bouge sa queue d'un côté à l'autre pour trancher et couper ses ennemis.

4

LE POISSON-GLOBE

LONGUEUR: 2,5 – 90 cm

ARMES FATALES: Possède une peau épineuse, des dents acérées et un poison mortel en cas d'ingestion.

HABILETÉS EFFRAYANTES: Se gonfle avec de l'air ou de l'eau pour se transformer en boule hérissée.

3

LA PASTENAGUE

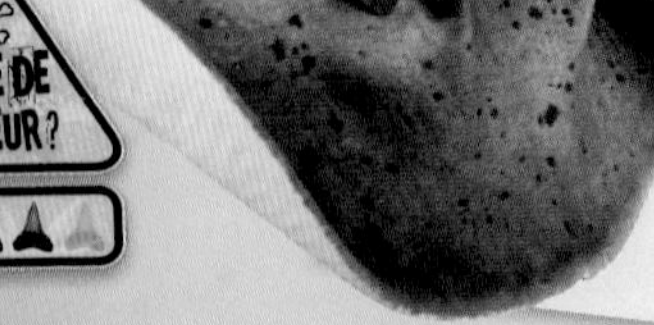

LONGUEUR: 0,3 – 5,4 m

ARMES FATALES: Possède une épine venimeuse (ou « aiguillon ») dans la queue.

HABILETÉS EFFRAYANTES: Sort rapidement son aiguillon pour tuer ses ennemis.

2

LE POISSON-PAPILLON

LONGUEUR: 30 – 38 cm

ARMES FATALES: Possède de longues et fines épines qui libèrent un venin horriblement douloureux, parfois même mortel.

HABILETÉS EFFRAYANTES: Entoure sa proie en enroulant ses longues nageoires épineuses autour de sa victime.

LE POISSON-PIERRE

1

Il est facile de se tenir sur un poisson-pierre, parce qu'il ressemble à une pierre dans l'eau peu profonde. Mais sa piqûre est si douloureuse que ses victimes désirent souvent qu'on leur coupe les pieds ! Sans traitement, le venin injecté par les épines piquantes de ce poisson peut être mortel.

LONGUEUR : 30 – 46 cm

ARMES FATALES : Possède 13 épines sur le dos qui injectent un venin tueur atrocement douloureux.

HABILETÉS EFFRAYANTES : Son camouflage le fait ressembler à une grosse roche dans le fond marin.

FAITS MORTELS

Les experts estiment que le poisson-pierre est le poisson le plus venimeux du monde.

LES POISSONS AU NEZ POINTU

Ces poissons ont de longues et redoutables pointes acérées, des épées ou des scies sur leur museau. Celles-ci peuvent être utilisées comme des armes mortelles lorsqu'ils sont attaqués.

5 LE VOILIER

LONGUEUR: 1,5 – 3,4 m

ARMES FATALES: Possède un pic très aiguisé et pointu pour poignarder sa proie.

HABILETÉS EFFRAYANTES: Peut changer de couleur, en passant du brun ou gris au violet ou à l'argent en un instant.

4 LE POISSON-SCIE

DEGRÉ DE FRAYEUR?

LONGUEUR: 4,5 – 6,7 m

ARMES FATALES: A un museau large et long semblable à une scie doté de dizaines de dents acérées.

HABILETÉS EFFRAYANTES: Bouge sa scie de chaque côté pour fouetter sa proie.

3 L'ORPHIE

LONGUEUR: Jusqu'à 1,2 m

ARMES FATALES: Possède un museau extrêmement aiguisé en forme d'aiguille.

HABILETÉS EFFRAYANTES: Saute par-dessus les bateaux, harponnant ou tuant parfois les personnes à bord.

2 L'ESPADON

LONGUEUR: 1,2 – 4,5 m

ARMES FATALES: Possède une « épée » acérée sur le museau assez forte pour s'enfoncer dans un bateau.

HABILETÉS EFFRAYANTES: Saute hors de l'eau.

LE MAKAIRE BLEU

Le makaire est l'un des poissons les plus difficiles et les plus dangereux à attraper. Incroyablement puissant et rapide, si un makaire est traîné à terre ou sur un bateau, il riposte en se débattant et en coupant avec son épée. En 2000, un pêcheur a été tué de cette manière.

LONGUEUR : 3 – 5 m

ARMES FATALES : Possède un museau très acéré et étroit qui peut atteindre une longueur de 1 m.

HABILETÉS EFFRAYANTES : Grande force et puissance de combat.

FAITS MORTELS

Les makaires et les voiliers sont les poissons les plus rapides du monde, capables d'atteindre une vitesse d'environ 100 km/h.

LES MÉDUSES

Certaines de ces créatures marines étranges nagent, mais d'autres font juste flotter au gré des courants marins, en attente d'une proie qui s'emmêlera dans leurs tentacules.

5 LA MÉDUSE

LONGUEUR: 15 – 20 cm avec des tentacules allant jusqu'à 6 m.

ARMES FATALES: Possède des milliers de nématocystes minuscules, ou des cellules urticantes, injectant du venin douloureux au toucher.

HABILETÉS EFFRAYANTES: Nage en serrant et desserrant son corps en forme de cloche.

DEGRÉ DE FRAYEUR?

4 LA GALÈRE PORTUGAISE

LONGUEUR: 20 – 30 cm avec des tentacules allant jusqu'à des longueurs de 50 m.

ARMES FATALES: La «piqûre» des tentacules peut causer une douleur extrême.

HABILETÉS EFFRAYANTES: Son ombrelle remplie de gaz lui permet de flotter à la surface.

3 LA MÉDUSE IRUKANDJI

LONGUEUR: 2 – 3 cm avec des tentacules allant jusqu'à des longueurs de 50 cm.

ARMES FATALES: Son venin toxique cause certains malaises, des maux de dos et des vomissements, et peut être mortel.

HABILETÉS EFFRAYANTES: La piqûre provoque peu de douleur au début, afin que les victimes ne sachent pas qu'elles ont été piquées.

DEGRÉ DE FRAYEUR?

2 LA MÉDUSE-BOÎTE

LONGUEUR: Environ 18 cm, plus longue avec ses tentacules

ARMES FATALES: Possède des tentacules urticants dotés de venin qui cause une douleur intense.

HABILETÉS EFFRAYANTES: Nage très rapidement et ses tentacules s'enroulent autour des proies.

LA MÉDUSE-BOÎTE AUSTRALIENNE

1

La méduse-boîte australienne, parfois appelée la guêpe de mer, est la méduse la plus venimeuse et redoutée dans le monde. Lorsque ses tentacules touchent quelque chose, ils libèrent instantanément leur venin mortel. Les victimes peuvent souffrir d'une crise cardiaque quelques minutes après s'être fait piquer.

LONGUEUR : 15 – 36 cm avec des tentacules allant jusqu'à une longueur de 3 m.

ARMES FATALES : Possède jusqu'à 60 longs tentacules, recouverts de millions de cellules urticantes.

HABILETÉS EFFRAYANTES : Presque entièrement transparente, c'est pourquoi il est difficile de voir venir cette méduse !

FAITS MORTELS

Aucune méduse n'a de cerveau, mais la méduse-boîte est la seule à avoir des yeux : elle en a 24 !

LES PIEUVRES ET LES CALMARS

Le nom de cette classe d'animaux est céphalopode, ce qui signifie « tête et pieds », car leurs tentacules sont joints à leur tête. Ils peuvent se développer jusqu'à devenir énormes, et sont très intelligents.

5 LA PIEUVRE GÉANTE DU PACIFIQUE

DEGRE DE FRAYEUR ?

LONGUEUR : 3 – 5 m

ARMES FATALES : Sa morsure est venimeuse, mais n'est pas nocive pour les humains.

HABILETÉS EFFRAYANTES : Elle est grande et assez forte pour arracher les masques de plongée des plongeurs, même si cela est rare.

4 LE CALMAR GÉANT

LONGUEUR : Jusqu'à 15 m

ARMES FATALES : Ses tentacules sont recouverts de puissantes ventouses tranchantes comme des rasoirs.

HABILETÉS EFFRAYANTES : Sa vue est excellente grâce à ses énormes yeux.

3 LE CALMAR COLOSSAL

DEGRE DE FRAYEUR ?

LONGUEUR : jusqu'à 14 m

ARMES FATALES : Ses tentacules ont de petits crochets acérés et rotatifs qui accrochent les proies.

HABILETÉS EFFRAYANTES : Si grand et fort qu'il peut facilement attraper un humain.

2 LE CALMAR DE HUMBOLDT

LONGUEUR : 1,2 – 2 m

ARMES FATALES : Puissant bec pour déchirer la chair de ses proies.

HABILETÉS EFFRAYANTES : Il chasse en bancs afin d'attraper de grosses proies et peut attaquer les humains.

LE POULPE AUSTRALIEN

1

Le plus dangereux de tous les céphalopodes est l'un des plus petits: le poulpe australien. Cette créature est si petite qu'elle tiendrait dans la main, mais sa morsure est très venimeuse et peut tuer un homme en quelques minutes. Souvent, les victimes ne sentent pas la morsure, donc elles ont peu de temps pour obtenir de l'aide.

LONGUEUR: 10 – 15 cm

ARMES FATALES: Son venin tueur paralyse ses victimes et les empêche de respirer.

HABILETÉS EFFRAYANTES: Devient jaune lumineux avec des anneaux bleus lorsqu'il est sur le point d'attaquer.

FAITS MORTELS ★

Presque tous les céphalopodes peuvent tirer un liquide d'encre sur leurs prédateurs afin de les confondre. En Italie, on fait une sauce de cette encre !

LES ÉCHINODERMES

Ce groupe de créatures épineuses de la mer comprend les oursins et les étoiles de mer. Ils sont généralement ronds ou en forme d'étoile, et se déplacent lentement sur le fond marin.

5 LE CRACHAT D'AMIRAL

LONGUEUR : 20 – 35 cm

ARMES FATALES : Il est recouvert de courts piquants, qui ne sont pas mortels, mais qui peuvent donner une éruption cutanée désagréable à un être humain.

HABILETÉS EFFRAYANTES : Comme d'autres étoiles de mer, il sort son estomac pour dévorer sa proie.

DEGRÉ DE FRAYEUR ?

4 L'OURSIN DIADÈME DES ANTILLES

LONGUEUR : 10 – 60 cm, incluant les épines.

ARMES FATALES : Possède de très longues épines pointues qui peuvent facilement percer la peau et se briser à l'intérieur.

HABILETÉS EFFRAYANTES : Il secoue et bouge ses épines lorsqu'on le dérange.

DEGRÉ DE FRAYEUR ?

3 LA COURONNE D'ÉPINES

LONGUEUR : 20 – 46 cm

ARMES FATALES : Possède des épines pointues qui libèrent un venin horriblement douloureux.

HABILETÉS EFFRAYANTES : Il détruit les récifs coralliens en les engloutissant.

2 LE CONCOMBRE DE MER DU NORD

LONGUEUR : 2 – 46 cm

ARMES FATALES : Il libère des fils toxiques collants qui peuvent causer la cécité s'ils entrent en contact avec les yeux.

HABILETÉS EFFRAYANTES : Il peut rendre son corps liquide pour se faufiler à travers de minuscules fissures !

DEGRÉ DE FRAYEUR ?

L'OURSIN FLEUR

1

Si vous faites de la plongée en apnée et que vous apercevez cet attrayant oursin fleur, NE LE TOUCHEZ PAS ! Ses « pétales » peuvent injecter du venin dans tout ce qui l'effleure. La douleur est si cuisante qu'elle peut faire paniquer les plongeurs et les mettre en grand danger.

LONGUEUR : 10 – 15 cm

ARMES FATALES : Il est recouvert de petits piquants qui peuvent vous donner une dangereuse piqûre.

HABILETÉS EFFRAYANTES : Ses « pétales » fonctionnent comme de minuscules mâchoires qui se referment pour injecter leur venin.

Bien qu'elles ne soient pas mortelles, les piqûres de l'oursin fleur peuvent rendre une personne inconsciente ou la paralyser de douleur.

LES POISSONS ÉLECTRIQUES

Les êtres humains utilisent l'électricité depuis seulement un peu plus d'une centaine d'années, mais ces poissons électrocutent leurs ennemis depuis les temps préhistoriques !

5 LA RAIE ÉLECTRIQUE OCELLÉE

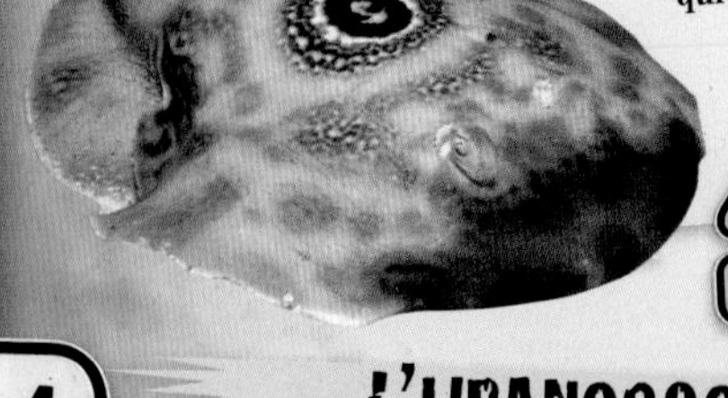

LONGUEUR : Jusqu'à 25 cm

ARMES FATALES : Elle dégage une faible électricité qui peut rebuter certains prédateurs.

HABILETÉS EFFRAYANTES : Se camoufle parfaitement sur le fond sablonneux.

DEGRÉ DE FRAYEUR ?

4 L'URANOSCOPE

LONGUEUR : 20 – 46 cm

ARMES FATALES : Il peut donner à un être humain un choc électrique douloureux, mais pas trop grave.

HABILETÉS EFFRAYANTES : Il enfonce aussi ses épines venimeuses dans ses ennemis.

3 LA TORPILLE NOIRE

LONGUEUR : 1,5 – 1,8 m

ARMES FATALES : Elle délivre jusqu'à 220 volts d'électricité, assez pour faire tomber un être humain.

HABILETÉS EFFRAYANTES : Elle peut éliminer ses ennemis avec une série « d'impulsions » électriques répétées.

2 LE POISSON TORPILLE

LONGUEUR : 0,6 – 1,2 m

ARMES FATALES : Possède des organes électriques tout autour de son corps qui peuvent éliminer une personne avec un courant allant jusqu'à 450 volts.

HABILETÉS EFFRAYANTES : Il peut aussi utiliser l'électricité comme une sorte de radar pour traquer sa proie.

L'ANGUILLE ÉLECTRIQUE

L'anguille électrique, qu'on retrouve dans les rivières d'Amérique du Sud, est le plus puissant de tous les poissons électriques. Elle peut donner à une personne un choc suffisant pour causer sa mort. Si les victimes ne sont pas tuées par le choc, elles risquent de devenir inconscientes et de se noyer.

LONGUEUR : 1,6 – 2,4 m

ARMES FATALES : Elle peut électrocuter ses ennemis avec un choc électrique de 600 volts.

HABILETÉS EFFRAYANTES : Leur peau à l'épreuve de l'électricité empêche les anguilles de s'électrocuter elles-mêmes.

DEGRÉ DE FRAYEUR ?

FAITS MORTELS

Les anciens Égyptiens et les Grecs utilisaient les poissons électriques pour donner des chocs aux patients afin de traiter certains maux, des douleurs et des maladies.

LES CRÉATURES DE LA MER ÉTONNAMMENT EFFRAYANTES

Certains animaux marins sont vraiment effrayants, et d'autres semblent inoffensifs, mais ils sont en fait mortellement dangereux. Méfiez-vous des escargots, des limaces et des anémones de mer !

5 LE HOMARD AMÉRICAIN

LONGUEUR : 30 – 100 cm

ARMES FATALES : Possède d'énormes pinces bordées de dents pour broyer et couper sa proie.

HABILETÉS EFFRAYANTES : Ses puissantes pinces sont assez fortes pour broyer les doigts d'un humain.

DEGRÉ DE FRAYEUR ?

4 LE CORAIL DE FEU

LONGUEUR : 5 – 60 cm

ARMES FATALES : Possède des cellules urticantes, semblables à celles d'une méduse.

HABILETÉS EFFRAYANTES : Peut causer une éruption cutanée douloureuse qui peut durer des semaines.

DEGRÉ DE FRAYEUR ?

3 L'ANÉMONE PLUMEUSE

LONGUEUR : 20 – 30 cm

ARMES FATALES : Ses puissantes cellules urticantes peuvent provoquer un douloureux choc chez ses victimes.

HABILETÉS EFFRAYANTES : Se camoufle grâce à une surface bosselée qui ressemble à des algues de corail.

DEGRÉ DE FRAYEUR ?

2 LE DRAGON BLEU

LONGUEUR : 2 – 3 cm

ARMES FATALES : Possède plus de 30 tentacules, chacun possédant un dangereux aiguillon mortel.

HABILETÉS EFFRAYANTES : Il se nourrit de la plus grosse galère portugaise (méduse) et recueille son venin.

LE CÔNE GÉOGRAPHE

Vous avez peut-être déjà admiré de beaux coquillages de ce genre. Par contre, la créature qui vit dans cette coquille est l'une des plus effrayantes dans la mer. Le cône géographe est un escargot de mer possédant un aiguillon meurtrier, qui harponne ses ennemis, leur infligeant une piqûre mortelle.

LONGUEUR : 10 – 15 cm

ARMES FATALES : Possède un aiguillon très meurtrier qui harponne ses victimes.

HABILETÉS EFFRAYANTES : Peut sortir son estomac de son corps pour l'enrouler autour de sa proie.

FAITS MORTELS

Le venin du cône géographe est si puissant qu'un seul escargot est capable de tuer 700 personnes.

LES BALEINES ET LES DAUPHINS

Cette famille comprend les plus grandes créatures de notre planète. Les baleines et les dauphins sont habituellement amicaux avec les humains. Mais, parfois, ils peuvent attaquer.

5

LE DAUPHIN À GROS NEZ

DEGRÉ DE FRAYEUR ?

LONGUEUR: 2 – 4,3 m

ARMES FATALES: Possède de longues mâchoires bordées de 80 à 100 dents acérées.

HABILETÉS EFFRAYANTES: Très astucieux, mais peut devenir agressif et attaquer un autre dauphin, ou les êtres humains.

4

LA BALEINE FRANCHE AUSTRALE

LONGUEUR: 10 – 18 m

ARMES FATALES: Elle est énorme et a une incroyable force.

HABILETÉS EFFRAYANTES: Elle bondit parfois hors de l'eau et s'échoue sur les bateaux, probablement par accident.

DEGRÉ DE FRAYEUR ?

3

LE GLOBICÉPHALE DU PACIFIQUE

DEGRÉ DE FRAYEUR ?

LONGUEUR: 4 – 6 m

ARMES FATALES: Possède une très grande bouche avec de fortes et robustes dents.

HABILETÉS EFFRAYANTES: Est connu pour entraîner les plongeurs sous l'eau. Les experts pensent qu'il tente de jouer avec eux.

2

L'ÉPAULARD

LONGUEUR: 5 – 10 m

ARMES FATALES: Possède de grosses dents acérées recourbées vers l'arrière pour saisir et trancher sa proie.

HABILETÉS EFFRAYANTES: Il chasse en bancs et est reconnu pour tuer des êtres humains lorsqu'il est en captivité.

DEGRÉ DE FRAYEUR ?

LE GRAND CACHALOT

1

Le cachalot est un monstre de la mer. C'est la plus grosse baleine dentelée sur Terre. Les cachalots s'attaquent à de grosses proies, comme les calmars géants, et se battent férocement entre eux dans les profondeurs de l'océan. Dans le passé, les gens chassaient les cachalots. Ils étaient des cibles dangereuses, car ils utilisaient leur corps massif pour se défendre.

LONGUEUR : 8 – 20 m

ARMES FATALES : Possède d'énormes dents qui peuvent atteindre une longueur de 20 cm et peser 1 kg chacune.

HABILETÉS EFFRAYANTES : Est en mesure d'étourdir sa proie avec de puissants faisceaux sonores.

FAITS MORTELS

En 1820, un cachalot en colère a percuté et coulé un navire baleinier. L'incident a inspiré le célèbre roman *Moby Dick*.

LES PHOQUES ET LES LIONS DE MER

Ils ont souvent l'air mignon et câlin avec leur corps potelé et leur fourrure duveteuse, mais les phoques et les otaries peuvent aussi être féroces et se déplacer rapidement, en particulier sous l'eau.

5

LE PHOQUE GRIS

LONGUEUR : 2 – 3 m

ARMES FATALES : Possède des dents très pointues qui peuvent mordre étonnamment fort.

HABILETÉS EFFRAYANTES : Est reconnu pour entraîner les nageurs sous l'eau.

DEGRÉ DE FRAYEUR ?

4

LE LION DE MER

LONGUEUR : 1,2 – 2,4 m

ARMES FATALES : Possède de grosses nageoires très fortes.

HABILETÉS EFFRAYANTES : Peut bondir hors de l'eau pour saisir un malheureux surfeur !

3

LE MORSE

LONGUEUR : 2 – 3,7 m

ARMES FATALES : Possède d'énormes défenses aiguisées qui peuvent atteindre jusqu'à 1 m de long.

HABILETÉS EFFRAYANTES : Il attaque et donne des coups avec ses défenses. A déjà tué des chasseurs et attaqué des bateaux.

2

L'ÉLÉPHANT DE MER AUSTRAL

LONGUEUR : 2,7 – 6 m

ARMES FATALES : Sa gueule est énorme et très puissante.

HABILETÉS EFFRAYANTES : Peut attaquer brusquement ses ennemis et les écraser.

LE LÉOPARD DE MER

Bien que n'étant pas le plus gros, c'est sans doute le plus acharné de tous les phoques et il est reconnu pour être dangereux pour les humains. Il passe en trombe dans la mer lorsqu'il chasse les manchots et les calmars, et peut aussi glisser sur la glace de mer. Il peut facilement infliger une morsure mortelle grâce à son énorme tête et à sa mâchoire puissante.

LONGUEUR : 2,5 – 4 m

ARMES FATALES : Sa large bouche pleine de grosses dents peut mordre extrêmement fort.

HABILETÉS EFFRAYANTES : A déjà chassé des explorateurs sur la glace de mer !

DEGRÉ DE FRAYEUR ?

FAITS MORTELS

En Nouvelle-Zélande, un énorme éléphant de mer mâle, surnommé Homère, a pris l'habitude de venir sur terre pour broyer des voitures !

LES OURS

Les ours préfèrent les aliments comme les œufs, le miel, les baies et les poissons. Mais ils sont tellement grands, forts et féroces que si un ours s'énerve, il peut être très dangereux pour les humains.

5

L'OURS NOIR

LONGUEUR : 1,2 – 2 m

ARMES FATALES : Il est très fort et sa morsure est extrêmement puissante.

HABILETÉS EFFRAYANTES : Il est habile avec ses pattes pour ouvrir les couvercles de boîtes, les barrières et les portes.

DEGRÉ DE FRAYEUR ?

4

L'OURS NOIR ASIATIQUE

LONGUEUR : 1,2 – 2 m

ARMES FATALES : Possède de grandes griffes crochues et des pattes avant extrapuissantes.

HABILETÉS EFFRAYANTES : Se dresse sur ses pattes de derrière pour frapper ses victimes.

DEGRÉ DE FRAYEUR ?

3

L'OURS LIPPU

LONGUEUR : 1,5 – 2 m

ARMES FATALES : A des griffes avant extrêmement longues et tranchantes.

HABILETÉS EFFRAYANTES : Peut frapper ses victimes à la tête ou au visage. Aïe !

2

L'OURS BLANC

LONGUEUR : 2 – 3 m

ARMES FATALES : Sa tête, sa gueule et ses dents sont très puissantes.

HABILETÉS EFFRAYANTES : Peut flairer sa proie sur de longues distances ou dans la neige profonde.

LE GRIZZLI

Les ours bruns, y compris les grizzlis et les ours Kodiak de l'Alaska, se rapprochent de l'homme, dans l'espoir de trouver de la nourriture. S'ils se sentent menacés, ils peuvent se dresser sur leurs pattes arrière et atteindre jusqu'à 3 m de hauteur. Lors d'une attaque, l'ours brun peut mettre en pièces ses victimes avec ses énormes griffes et ses dents.

LONGUEUR : 1,5 – 3 m

ARMES FATALES : Possède de longues griffes et des dents solides en plus d'être extrêmement puissant.

HABILETÉS EFFRAYANTES : Utilise ses pattes géantes pour frapper ses ennemis. Un seul coup peut être mortel.

DEGRÉ DE FRAYEUR ?

1

FAITS MORTELS

Les ours mangent parfois des êtres humains. En 1915, un énorme ours a attaqué un village japonais, dévorant sept personnes et en blessant plusieurs autres.

LES GROS FÉLINS

Les félins sont les carnivores les plus féroces et les plus effrayants. Si l'un d'entre eux décide de s'en prendre à un humain, il est presque certain de l'emporter !

5 LE JAGUAR

LONGUEUR : 1,5 – 1,8 m

ARMES FATALES : Sa morsure est puissante, assez forte pour broyer le crâne de ses proies.

HABILETÉS EFFRAYANTES : Se cache dans les arbres afin de bondir sur ses proies.

4 LE COUGUAR

LONGUEUR : 1 – 1,6 m

ARMES FATALES : Ses pattes arrière sont très longues et solides pour bondir.

HABILETÉS EFFRAYANTES : Il émet un son fort, criard, qui donne la chair de poule.

3 LE LÉOPARD

DEGRE DE FRAYEUR ?

LONGUEUR : 1,3 – 1,9 m

ARMES FATALES : Ses pattes et ses griffes sont grosses et puissantes.

HABILETÉS EFFRAYANTES : Il entraîne ses proies mortes dans les arbres afin de les cacher aux autres animaux.

2 LE LION

LONGUEUR : 1,4 – 2 m

ARMES FATALES : Possède une tête énorme avec des canines très longues.

HABILETÉS EFFRAYANTES : Les femelles se réunissent pour attraper les grosses proies.

LE TIGRE

1

Tous les grands félins peuvent tuer des gens et le font, mais le tigre est le plus dangereux de tous. C'est le plus gros félin et le seul qui, dans certains endroits, est reconnu pour chasser les humains.

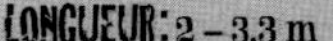

LONGUEUR : 2 – 3,3 m

ARMES FATALES : Possède des mâchoires énormes qui peuvent mordre extrêmement fort.

HABILETÉS EFFRAYANTES : Peut faire des sauts de géant allant jusqu'à 10 m.

FAITS MORTELS

Les tigres se faufilent souvent derrière leurs proies, de sorte que les gens portent des masques à l'arrière de la tête pour essayer de les faire fuir !

LES LOUPS, LES HYÈNES ET LES CHIENS SAUVAGES

Dans les contes de fées, les loups sont les vilains méchants qui avalent les gens tout rond. Mais le font-ils vraiment ?

5 LE CHACAL

LONGUEUR : 0,9 – 1,5 m

ARMES FATALES : Possède des mâchoires longues et pointues.

HABILETÉS EFFRAYANTES : Il émet des glapissements aigus.

DEGRÉ DE FRAYEUR ?

4 LE DINGO

LONGUEUR : 0,9 – 1,5 m

ARMES FATALES : Possède une large tête et de longues dents.

HABILETÉS EFFRAYANTES : C'est un coureur très rapide.

3 LA HYÈNE

LONGUEUR : 1 – 1,9 m

ARMES FATALES : Sa mâchoire est assez puissante pour broyer des os.

HABILETÉS EFFRAYANTES : Peut engloutir de grosses proies en quelques minutes !

DEGRÉ DE FRAYEUR ?

2 LE LYCAON

LONGUEUR : 0,9 – 1,5 m

ARMES FATALES : Sa morsure est puissante et tenace.

HABILETÉS EFFRAYANTES : Chasse en groupe pour tuer des animaux jusqu'à dix fois sa propre taille.

LE LOUP GRIS

Le loup gris est largement craint, car c'est un gros animal et un excellent chasseur, en particulier lorsqu'il chasse en meute. Il y a bien longtemps, lorsque les loups gris étaient beaucoup plus répandus, les attaques sur les humains étaient très fréquentes, et leur redoutable réputation demeure encore aujourd'hui.

LONGUEUR : 1 – 1,5 m

ARMES FATALES : Possède de longues pattes, de grandes dents et une mâchoire très puissance.

HABILETÉS EFFRAYANTES : Il traque et chasse ses proies sur de nombreux kilomètres.

DEGRÉ DE FRAYEUR ?

FAITS MORTELS

Tous les chiens sont des descendants du loup gris, et certains d'entre eux peuvent être aussi très dangereux.

LES MUSTÉLIDÉS

Il s'agit d'un groupe de petits mammifères, mais ce sont de féroces carnivores. Certains sont reconnus pour avoir un mauvais caractère et être très agressifs.

5 LA BELETTE

LONGUEUR : 20 – 25 cm

ARMES FATALES : Bien que petites, ses dents acérées peuvent infliger de graves morsures.

HABILETÉS EFFRAYANTES : Elle est très féroce et a mauvais caractère.

4 LA MOUFFETTE

LONGUEUR : 60 – 90 cm

ARMES FATALES : Elle est crainte pour le liquide malodorant, qui brûle et démange, qu'elle libère en guise de défense.

HABILETÉS EFFRAYANTES : Elle peut faire gicler son jet malodorant jusqu'à 3 m.

DEGRÉ DE FRAYEUR ?

3 LE BLAIREAU

LONGUEUR : 60 – 90 cm

ARMES FATALES : Possède de grosses et fortes griffes avant.

HABILETÉS EFFRAYANTES : Il mord et donne de dangereux coups s'il se sent acculé.

2 LA LOUTRE GÉANTE

LONGUEUR : 1,5 – 1,8 m

ARMES FATALES : Possède une large tête et peut infliger une puissante morsure.

HABILETÉS EFFRAYANTES : Elle est facilement contrariée et peut être très dangereuse en captivité.

LE CARCAJOU

Le plus grand mustélidé, le carcajou, est l'un des animaux les plus féroces de la planète. Il n'a peur d'aucun autre animal, et va attaquer et tuer des proies beaucoup plus grosses que lui. Heureusement, les carcajous vivent dans des forêts éloignées du Nord et rencontrent rarement les humains.

LONGUEUR: 1 – 1,2 m

ARMES FATALES: A de grosses pattes dotées de longues griffes acérées.

HABILETÉS EFFRAYANTES: Extrêmement fort et tenace.

1

FAITS MORTELS

Les mustélidés ont des dents à l'arrière de leur bouche qui pointent vers l'arrière, ce qui leur permet d'arracher des morceaux de proies congelées.

LES HERBIVORES

Ces mammifères grignotant des plantes sont parmi les plus dangereux de tous les animaux sauvages. Ils ne vont pas nous manger, mais ils peuvent charger, piétiner ou poignarder un homme qui se trouve sur leur chemin.

5 LA GIRAFE

DEGRE DE FRAYEUR ?

HAUTEUR : 4 – 5,5 m

ARMES FATALES : Possède des pattes longues et fortes dotées de sabots pointus.

HABILETÉS EFFRAYANTES : Elle peut donner des coups assez forts pour tuer un lion !

4 LE BUFFLE D'AFRIQUE

LONGUEUR : 2 – 3,7 m

ARMES FATALES : Possède d'énormes cornes, larges et très pointues.

HABILETÉS EFFRAYANTES : Il charge et poignarde ses ennemis, surtout les chasseurs qui tentent de l'abattre.

DEGRE DE FRAYEUR ?

3 RHINOCÉROS NOIR

DEGRE DE FRAYEUR ?

LONGUEUR : 3 – 4 m

ARMES FATALES : Possède une corne pointue atteignant jusqu'à 1 m de long.

HABILETÉS EFFRAYANTES : Il charge ses ennemis à grande vitesse.

2 L'ÉLÉPHANT D'AFRIQUE

LONGUEUR : 4 – 8 m

ARMES FATALES : Il est très lourd et a de longues défenses aiguisées.

HABILETÉS EFFRAYANTES : Il tue en chargeant, en piétinant et en écrasant ses ennemis.

L'HIPPOPOTAME

Les gens croient souvent que l'hippopotame est inoffensif, lent et paresseux et qu'il aime se prélasser dans la boue. Comme ils se trompent ! En fait, les hippopotames peuvent se déplacer rapidement et sont extrêmement dangereux. Ils tuent des centaines de personnes chaque année en attaquant celles qui les dérangent.

LONGUEUR : 3 – 5,5 m

ARMES FATALES : Il possède une bouche énorme et des dents acérées, semblables à des défenses.

HABILETÉS EFFRAYANTES : Il mord si fort qu'il peut briser un bateau en deux !

DEGRÉ DE FRAYEUR ?

FAITS MORTELS

NE JAMAIS se placer entre un hippopotame et l'eau, il pourrait attaquer ! Les hippopotames se sentent en sécurité dans les rivières, où ils habitent, et les protègent farouchement.

LES MAMMIFÈRES ÉTONNAMMENT EFFRAYANTS

Certains mammifères effrayants sont vraiment très petits, et semblent même mignons ou amicaux. Ne soyez pas dupe, faites toujours attention près des sangliers, et ne pensez jamais qu'un chimpanzé ferait un bon animal de compagnie !

5 LE DIABLE DE TASMANIE

LONGUEUR: 60 cm – 1,2 m

ARMES FATALES: Sa morsure est incroyablement puissante pour sa taille.

HABILETÉS EFFRAYANTES: Il émet un cri strident qui donne la chair de poule.

4 CHAUVE-SOURIS VAMPIRE

LONGUEUR: 8 – 10 cm

ARMES FATALES: Possède des dents si aiguisées que c'est à peine si vous sentez sa morsure !

HABILETÉS EFFRAYANTES: Elle est reconnue pour mordre et sucer le sang de sa proie.

DEGRÉ DE FRAYEUR ?

3 LE KANGOUROU ROUGE

HAUTEUR: 1,2 – 2,1 m

ARMES FATALES: Les mâles ont des bras massifs et une poitrine musclée.

HABILETÉS EFFRAYANTES: Il combat vicieusement en donnant des coups de pied et en « boxant » avec ses bras.

2 LE SANGLIER

LONGUEUR: 1 – 2,7 m

ARMES FATALES: Possède quatre très fortes défenses.

HABILETÉS EFFRAYANTES: Se défend en entaillant vers le haut avec ses défenses, tranchant ses ennemis.

LE CHIMPANZÉ

1

Les chimpanzés nous interpellent, et ce n'est pas surprenant, car ils sont nos plus proches parents. Mais les chimpanzés ont aussi un côté violent, et autant les chimpanzés sauvages que ceux de compagnie ont attaqué des humains.

LONGUEUR : 1 – 1,5 m

ARMES FATALES : Possède de gros bras et de puissantes mains.

HABILETÉS EFFRAYANTES : Il attaque en mordant et en déchirant ses ennemis.

Les experts pensent que les chimpanzés sauvages peuvent attaquer les humains lorsque ces derniers empiètent sur leur territoire.

LES VAUTOURS

Les vautours ont la réputation de traquer les animaux morts, puis de plonger pour récupérer leur cadavre. Les vautours se nourrissent d'animaux morts, mais sont-ils dangereux pour les humains ?

5 L'URUBU À TÊTE ROUGE

LONGUEUR : 60 – 90 cm

ARMES FATALES : Possède un bec crochu acéré pour déchirer la viande des animaux morts.

HABILETÉS EFFRAYANTES : Comme d'autres vautours, il a l'air effrayant, mais dérange rarement les humains.

DEGRÉ DE FRAYEUR ?

4 LE CONDOR DES ANDES

LONGUEUR : 0,9 – 1,4 m

ARMES FATALES : Il est énorme et peut lancer une attaque sauvage s'il le veut, mais il évite les humains.

HABILETÉS EFFRAYANTES : Excellent en descente en piqué avec ses ailes allant jusqu'à 3 m de large.

3 LE VAUTOUR NOIR

LONGUEUR : 60 – 80 cm

ARMES FATALES : A un bec acéré qu'il utilise pour picorer les yeux de sa proie. Aïe !

HABILETÉS EFFRAYANTES : Il attaque en groupe pour tuer les jeunes bovins.

DEGRÉ DE FRAYEUR ?

2 LE VAUTOUR FAUVE

LONGUEUR : 0,9 – 1,2 m

ARMES FATALES : Il est gros et très fort et ses griffes sont extrêmement acérées.

HABILETÉS EFFRAYANTES : Il a une excellente vue. Il peut repérer les cadavres d'animaux depuis les airs.

LE GYPAÈTE BARBU

Le gypaète barbu, aussi appelé le vautour barbu, est un puissant animal qui chasse ses proies, mais qui se nourrit aussi de cadavres. Il se précipite parfois sur des animaux de montagne, tels que les chèvres, pour les amener sur le bord des falaises, et peut aussi attaquer des humains de cette façon.

LONGUEUR : 0,9 – 1,2 m

ARMES FATALES : Son corps est large et puissant ainsi que ses griffes et son bec.

HABILETÉS EFFRAYANTES : Il laisse tomber les os sur les rochers du haut des airs pour qu'ils se brisent afin de consommer la moelle.

FAITS MORTELS

Le gypaète barbu peut parfois tuer des tortues en les lançant sur les rochers, comme il le fait avec les os.

LES AIGLES

Les aigles sont de très grands et puissants oiseaux de proie et, contrairement aux vautours, ils chassent et tuent principalement des animaux vivants. Les attaques sur l'homme sont rares, mais possibles.

5 L'AIGLE DES SINGES

DEGRÉ DE FRAYEUR ?

LONGUEUR : 90 – 114 cm

ARMES FATALES : Possède l'un des plus grands becs de tous les aigles, atteignant jusqu'à 7,6 cm de long.

HABILETÉS EFFRAYANTES : Il chasse en paires : un aigle distrait quelques singes, tandis que l'autre se faufile jusqu'à eux.

4 L'AIGLE D'AUSTRALIE

LONGUEUR : 81 – 102 cm

ARMES FATALES : Il est très grand et puissant.

HABILETÉS EFFRAYANTES : Il chasse en groupe pour tuer des animaux aussi grands que les kangourous.

3 LA HARPIE FÉROCE

DEGRÉ DE FRAYEUR ?

LONGUEUR : 89 – 102 cm

ARMES FATALES : Ses serres sont énormes : grosses comme des pattes d'ours.

HABILETÉS EFFRAYANTES : Elle peut transporter des proies presque aussi lourdes qu'elle-même, comme des paresseux, des cerfs et des cochons.

2 L'AIGLE ROYAL

LONGUEUR : 81 – 97 cm

ARMES FATALES : Son bec est gros, fort et pointu.

HABILETÉS EFFRAYANTES : Il tue des proies de grande taille, comme des cerfs et même des oursons. Il a déjà attaqué des humains.

LE GRAND AIGLE DE MER

Le grand et puissant aigle de mer est probablement le plus effrayant de tous les aigles. Comme son nom l'indique, il attrape principalement des poissons, mais sa très grande force lui permet également de saisir et d'emporter des animaux très grands comme des agneaux et des petits cerfs.

LONGUEUR: 81 – 97 cm

ARMES FATALES: Ses serres sont solides et massives et peuvent transporter d'énormes poids.

HABILETÉS EFFRAYANTES: Il s'élance en piqué et attrape ses victimes par derrière.

FAITS MORTELS

En 1932, un grand aigle de mer aurait emporté une fillette de trois ans jusque dans son nid. Elle a ensuite été secourue, vivante. Ouf!

LES HIBOUX

Les hiboux sont des oiseaux de nuit généralement calmes, normalement associés à leurs hululements effrayants. Mais si nous approchons trop près de leurs nids, ils peuvent attaquer et provoquer de graves blessures.

5 LE HIBOU GRAND-DUC

LONGUEUR : 60 – 75 cm

ARMES FATALES : C'est un énorme hibou doté d'un bec crochu, comme un aigle.

HABILETÉS EFFRAYANTES : Il peut attraper de grosses proies, comme les lièvres et les oies.

4 LE GRAND-DUC D'AMÉRIQUE

LONGUEUR : 46 – 69 cm

ARMES FATALES : Ses serres sont très pointues.

HABILETÉS EFFRAYANTES : Il a déjà attaqué des gens portant des chapeaux à pompon. Peut-être qu'il a confondu les pompons avec des souris ou des campagnols !

3 LA CHOUETTE RAYÉE

LONGUEUR : 46 – 51 cm

ARMES FATALES : Elle est forte et musclée.

HABILETÉS EFFRAYANTES : Elle a l'habitude d'attaquer les gens qui passent près de ses aires de nidification.

2 LA NINOXE PUISSANTE

LONGUEUR : 46 – 69 cm

ARMES FATALES : Possède de larges pattes dotées de longues serres.

HABILETÉS EFFRAYANTES : Les mâles peuvent attaquer les gens qui s'approchent de leurs nids, les griffant à la tête et au visage.

LA CHOUETTE HULOTTE

Cette chouette est de taille moyenne, mais elle est reconnue pour lancer des attaques vicieuses sur tous ceux qui l'embêtent ou, pire encore, sur ses poussins. Elle vise la tête et a déjà déchiré en lambeaux le visage de gens.

LONGUEUR : 35 – 45 cm

ARMES FATALES : Elle est petite, mais costaude et forte, avec des griffes acérées.

HABILETÉS EFFRAYANTES : Elle vole silencieusement, attaquant ses victimes par surprise.

FAITS MORTELS

En 1937, au cours d'une séance photo, le célèbre photographe d'oiseaux Éric Hosking a perdu l'œil gauche lors de l'attaque d'une chouette hulotte.

LES OISEAUX DE PROIE

Les rapaces ou oiseaux de proie sont des oiseaux de chasse féroces qui sont faits pour tuer. Leurs serres et leur bec sont très acérés, ils ont une excellente vue et font de rapides descentes en piqué.

5 LE MILAN ROYAL

LONGUEUR : 60 – 66 cm

ARMES FATALES : Son bec crochu est très fort.

HABILETÉS EFFRAYANTES : Il descend en piqué pour voler la nourriture des boîtes à lunch et est reconnu pour attaquer les chiens de compagnie.

4 LE FAUCON PÈLERIN

DEGRÉ DE FRAYEUR ?

LONGUEUR : 35 – 60 cm

ARMES FATALES : Ses pattes sont extrêmement fortes.

HABILETÉS EFFRAYANTES : Il peut effectuer une descente rapide du ciel à 320 km/h.

3 LA BUSE DE HARRIS

LONGUEUR : 45 – 75 cm

ARMES FATALES : Son bec puissant est très pointu.

HABILETÉS EFFRAYANTES : Elle descend en piqué soudainement et a déjà attaqué des enfants.

2 LA BUSE

LONGUEUR : 45 – 55 cm

ARMES FATALES : Très forte pour sa taille.

HABILETÉS EFFRAYANTES : Elle cible ses ennemis en visant la tête.

DEGRÉ DE FRAYEUR ?

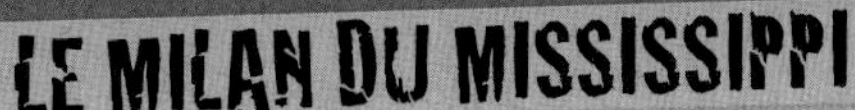

LE MILAN DU MISSISSIPPI

Bien qu'il soit un petit oiseau de proie, le milan du Mississippi peut lancer d'effrayantes attaques. Les oiseaux se rassemblent en grandes bandes pour bombarder quiconque s'égare à proximité de leurs sites de nidification. Comme les milans du Mississippi nichent souvent dans les villes, cela peut causer des ravages !

HAUTEUR : 33 – 38 cm

ARMES FATALES : Son bec est petit, mais acéré.

HABILETÉS EFFRAYANTES : Excelle dans les descentes rapides en piqué.

DEGRÉ DE FRAYEUR ?

FAITS MORTELS

Le Milan du Mississippi provoque parfois des accidents de voiture à cause de ses bombardements en piqué de voitures, qui finissent par faire des embardées.

LES OISEAUX TERRESTRES ET LES OISEAUX TOXIQUES

Ils ne sont peut-être pas en mesure de prendre leur envol, mais les oiseaux terrestres sont les plus féroces de tous. Leur caractère effrayant n'est égalé que par quelques oiseaux toxiques de la planète.

5

LE NANDOU D'AMÉRIQUE

HAUTEUR : 1,2 – 1,4 m

ARMES FATALES : Possède un bec robuste utilisé pour picorer ses ennemis.

HABILETÉS EFFRAYANTES : Émet un rugissement, un grondement semblable à celui d'un ours.

L'ÉMEU D'AUSTRALIE

HAUTEUR : 1,5 – 2,1 m

ARMES FATALES : Ses pattes et ses griffes sont incroyablement fortes.

HABILETÉS EFFRAYANTES : Il court très rapidement et donne de forts coups de pied.

DEGRÉ DE FRAYEUR ?

3

L'IFRITA DE KOWALD

LONGUEUR : 10 – 18 cm

ARMES FATALES : Sa peau et ses plumes contiennent un poison mortel, semblable à celui trouvé sur les dards des grenouilles venimeuses.

HABILETÉS EFFRAYANTES : Les experts pensent que l'ifrita recueille le poison des insectes qu'elle consomme.

DEGRÉ DE FRAYEUR ?

LE CASOAR

HAUTEUR : 1,5 – 2,1 m

ARMES FATALES : Son gros doigt intérieur est aussi aiguisé qu'un poignard.

HABILETÉS EFFRAYANTES : Donne des coups de pattes assez forts pour ouvrir un animal en deux ou pour déchirer une portière de voiture.

L'AUTRUCHE

L'autruche est l'oiseau le plus lourd, le plus grand et le plus rapide à la course dans le monde et celui que vous désirez le moins rencontrer. Lorsqu'elles sont embêtées, les autruches poursuivent les humains et même des voitures, et peuvent facilement tuer un humain avec un seul coup de pied.

HAUTEUR : 1,8 – 2,7 m

ARMES FATALES : Elle possède des pattes puissantes et de dangereuses griffes.

HABILETÉS EFFRAYANTES : Elle peut atteindre une vitesse de 72 km/h.

FAITS MORTELS

Les autruches nous sont très utiles. Leurs plumes font des plumeaux, leur peau devient du cuir et certaines personnes mangent leur viande pour le dîner !

LES OISEAUX AQUATIQUES

Les cygnes, les oies et les mouettes font partie d'un spectacle familier pour beaucoup de gens, mais ils peuvent être féroces. Les oies sont parfois utilisées à la place des chiens de garde !

5 LA BERNACHE DU CANADA

LONGUEUR : 80 – 112 cm

ARMES FATALES : Elle a d'immenses ailes pouvant atteindre 1,8 m d'envergure.

HABILETÉS EFFRAYANTES : Elle déploie ses ailes, émet des sifflements puis charge ses ennemis.

DEGRÉ DE FRAYEUR ?

4 LE GRAND LABBE

LONGUEUR : 50 – 60 cm

ARMES FATALES : Son bec crochu est bien aiguisé.

HABILETÉS EFFRAYANTES : Il est féroce et sans peur, et attaque quiconque est près de son nid.

3 LE FOU DE BASSAN

LONGUEUR : 86 – 107 cm

ARMES FATALES : Son épais bec est très puissant et peut arracher les yeux des gens.

HABILETÉS EFFRAYANTES : Il replie ses ailes et plonge dans la mer à grande vitesse. Ne vous mettez pas en travers de son chemin !

2 LE GOÉLAND ARGENTÉ

LONGUEUR : 55 – 70 cm

ARMES FATALES : Ses ailes sont puissantes et grandes et son bec est robuste.

HABILETÉS EFFRAYANTES : Bombarde les gens de ses attaques au cours de sa période de reproduction.

1

Les cygnes peuvent être beaux et paisibles, mais ils sont ÉNORMES. Lorsqu'un cygne décide de défendre son nid ou ses poussins, il attaquera avec ses grandes ailes et son bec. Une attaque de cygne peut casser un bras ou une jambe, et certaines attaques ont même abouti à la noyade de la victime.

LONGUEUR : 1,4 – 1,8 m

ARMES FATALES : Possède des ailes puissantes contenant des cartilages utilisés comme des armes.

HABILETÉS EFFRAYANTES : Il attaque avec ses ailes, assez fortes pour casser les bras ou les jambes d'un humain.

FAITS MORTELS

Les cygnes attaquent parfois les gens dans des kayaks et des canoés, surtout au moment de la nidification.

LES FOURMIS

Comme les humains, les fourmis travaillent ensemble pour construire une maison et cultiver ou récolter de la nourriture. Pour les aider à défendre leur colonie contre les ennemis, la plupart des fourmis peuvent à la fois mordre ou piquer.

5 LA FOURMI MOISSONNEUSE

LONGUEUR : 18 – 25 mm

ARMES FATALES : Possède le venin le plus toxique de tous les insectes.

HABILETÉS EFFRAYANTES : Sa piqûre est horriblement douloureuse, mais rarement mortelle, car elle ne contient que très peu de venin.

DEGRÉ DE FRAYEUR ?

4 LA FOURMI BALLE DE FUSIL

LONGUEUR : 18 – 25 mm

ARMES FATALES : Sa piqûre est la plus douloureuse des piqûres d'insectes.

HABILETÉS EFFRAYANTES : Émet un bip sonore et libère une odeur nauséabonde avant de passer à l'attaque.

DEGRÉ DE FRAYEUR ?

3 LA FOURMI DE FEU

LONGUEUR : 6 mm

ARMES FATALES : Sa piqûre est très douloureuse et brûlante et peut être mortelle si plusieurs fourmis attaquent à la fois.

HABILETÉS EFFRAYANTES : Lorsqu'une fourmi de feu pique, les autres le sentent et se précipitent à l'attaque.

DEGRÉ DE FRAYEUR ?

2 LA FOURMI LÉGIONNAIRE

LONGUEUR : 13 mm

ARMES FATALES : Possède une grosse mâchoire et sa morsure est puissante et douloureuse.

HABILETÉS EFFRAYANTES : Cause des saccages en essaim pouvant aller jusqu'à 20 millions de membres, mangeant tous les animaux sur leur passage.

DEGRÉ DE FRAYEUR ?

LA FOURMI BOULEDOGUE

C'est l'une des fourmis les plus grosses et les plus agressives du monde. Une fourmi bouledogue peut attaquer un humain et sa piqûre, bien que rarement mortelle, est très douloureuse.

LONGUEUR : 12 – 38 mm

ARMES FATALES : Sa piqûre est douloureuse et extrêmement puissante.

HABILETÉS EFFRAYANTES : Elle a une excellente vision. Elle repère ses ennemis, puis les chasse.

DEGRÉ DE FRAYEUR ?

FAITS MORTELS

Les fourmis bouledogues utilisent leurs mâchoires massives pour saisir et découper leurs proies, comme les abeilles et d'autres fourmis.

LES ABEILLES

En plus de la fabrication du miel, les abeilles pollinisent les plantes, ce qui aide à faire pousser les fleurs, les fruits et les légumes. Cependant, elles ont (habituellement) un dard très piquant.

5 LE BOURDON

DEGRÉ DE FRAYEUR ?

LONGUEUR : 10 – 20 mm

ARMES FATALES : Les femelles possèdent un dard, mais il n'est pas très dangereux.

HABILETÉS EFFRAYANTES : Les bourdons peuvent faire paniquer les gens, car ils sont souvent très volumineux.

4 L'ABEILLE CHARPENTIÈRE

LONGUEUR : Environ 3,8 cm

ARMES FATALES : Elle possède un dard, mais elle l'utilise rarement.

HABILETÉS EFFRAYANTES : Elle est immense et terrifiante, mais en fait elle n'est pas très dangereuse.

3 L'ABEILLE MELIPONA

DEGRÉ DE FRAYEUR ?

LONGUEUR : 6 mm ou moins

ARMES FATALES : Cette abeille est minuscule, mais sa morsure est très puissante pour compenser.

HABILETÉS EFFRAYANTES : Libère des produits chimiques de sa tête qui produisent des ampoules sur la peau de sa victime.

2 L'ABEILLE DOMESTIQUE

LONGUEUR : 6 – 20 mm

ARMES FATALES : Sa piqûre est douloureuse et peut parfois provoquer des allergies et même être fatale.

HABILETÉS EFFRAYANTES : Chaque abeille donnera sa vie pour sauver la colonie.

DEGRÉ DE FRAYEUR ?

L'ABEILLE MEURTRIÈRE

Ces abeilles sont un type d'abeilles libéré accidentellement par les scientifiques. Leur piqûre n'est pas pire que celles des autres abeilles, mais elles sont beaucoup plus agressives et susceptibles d'attaquer en grand essaim ; les victimes peuvent donc se faire piquer des centaines de fois.

LONGUEUR : 6 – 19 mm

ARMES FATALES : Elle pique, tout comme une abeille domestique.

HABILETÉS EFFRAYANTES : Elle chassera en essaim et attaquera quiconque l'embête.

Se cacher sous l'eau ne dissuadera pas les abeilles meurtrières. Elles attendront que vous reveniez respirer !

LES GUÊPES

Les guêpes sont apparentées aux abeilles, et sont connues pour être plus agressives et plus susceptibles de piquer que leurs cousines. Certaines d'entre elles sont très effrayantes.

5 LE SIREX GÉANT

LONGUEUR : 25 – 38 mm

ARMES FATALES : Ses mâchoires sont fortes pour mordre dans le bois.

HABILETÉS EFFRAYANTES : Il semble avoir un dard effrayant, mais il l'utilise seulement pour pondre ses œufs.

DEGRÉ DE FRAYEUR ?

4 LA GUÊPE COMMUNE

LONGUEUR : 6 – 19 mm

ARMES FATALES : Son dard peut être réutilisé plusieurs fois.

HABILETÉS EFFRAYANTES : Elle est agressive et attaque en essaim.

DEGRÉ DE FRAYEUR ?

3 LA GUÊPE À TACHES BLANCHES

LONGUEUR : 6 – 19 mm

ARMES FATALES : Sa piqûre est douloureuse et peut être dangereuse.

HABILETÉS EFFRAYANTES : Se met en colère si son grand nid est dérangé.

DEGRÉ DE FRAYEUR ?

2 LA GUÊPE TARENTULE

LONGUEUR : 38 – 50 mm

ARMES FATALES : Sa piqûre est très douloureuse et peut laisser ses victimes sans défense pendant un certain temps.

HABILETÉS EFFRAYANTES : Elle pique les tarentules et pond ses œufs à l'intérieur de ces dernières, donc les larves de la guêpe peuvent se nourrir de la tarentule vivante.

DEGRÉ DE FRAYEUR ?

LE FRELON GÉANT ASIATIQUE

1

Imaginez cette créature gigantesque sur votre dîner ! C'est l'une des plus grandes guêpes dans le monde, et elle est aussi effrayante qu'elle en a l'air. En Asie, plusieurs personnes meurent chaque année de piqûres du frelon géant asiatique, en particulier les malheureuses victimes qui se font piquer à plusieurs reprises.

LONGUEUR : 38 – 50 mm

ARMES FATALES : Son dard est très long et injecte une forte dose de venin mortel.

HABILETÉS EFFRAYANTES : Il utilise ses grosses mâchoires pour trancher les têtes d'abeilles domestiques.

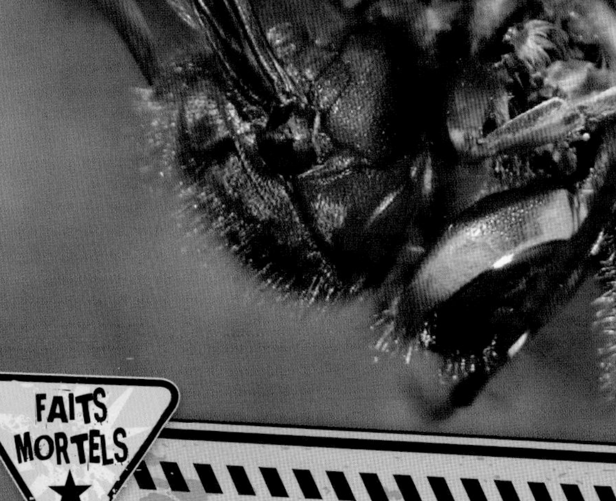

FAITS MORTELS

Les victimes d'une piqûre du frelon géant asiatique ont la sensation d'avoir été poignardées avec un clou chaud. Ça alors !

LES MOUCHES

Elles traînent autour des cadavres et des poubelles et leurs œufs éclosent en larves. Certaines peuvent nous piquer désagréablement et sucer notre sang. Mais le pire, ce sont les maladies que les mouches propagent.

5

LA MOUCHE DOMESTIQUE

LONGUEUR : 6 mm ou moins

ARMES FATALES : Elle possède une longue bouche, semblable à une paille, pour dissoudre et aspirer la nourriture.

HABILETÉS EFFRAYANTES : Elle défèque constamment, propageant des germes sur les aliments.

DEGRÉ DE FRAYEUR ?

4

LA MOUCHE À CHEVAL

LONGUEUR : 19 mm ou moins

ARMES FATALES : Sa mâchoire acérée poignarde et coupe la peau.

HABILETÉS EFFRAYANTES : Elle suce le sang et propage des maladies entre les animaux et les gens.

DEGRÉ DE FRAYEUR ?

3

LE PHLÉBOTOME

LONGUEUR : Encore plus petit que 6 mm

ARMES FATALES : Possède un rostre acéré et conçu pour sucer le sang.

HABILETÉS EFFRAYANTES : Propage la leishmaniose, une maladie mortelle qui provoque de grosses plaies sur le corps.

DEGRÉ DE FRAYEUR ?

2

LA MOUCHE TSÉ-TSÉ

LONGUEUR : 13 mm ou moins

ARMES FATALES : Son rostre est acéré comme une lame.

HABILETÉS EFFRAYANTES : Propage la maladie du sommeil, une horrible maladie qui provoque la fatigue, la confusion et la mort.

DEGRÉ DE FRAYEUR ?

LES MOUSTIQUES

Ces minuscules insectes peuvent ne pas sembler effrayants, mais les moustiques sont de loin les plus meurtriers de tous les animaux dans ce livre. Ils transportent et propagent des germes qui causent des maladies comme la fièvre jaune, le virus du Nil occidental et la malaria, qui tuent des millions de personnes chaque année.

LONGUEUR : Moins de 19 mm

ARMES FATALES : Son rostre est très long, comme une aiguille.

HABILETÉS EFFRAYANTES : Il propage plusieurs maladies très meurtrières.

Les moustiques ont causé plus de décès chez les humains que toutes les guerres de l'histoire.

LES SCARABÉES

Il y a plus de 350 000 espèces de coléoptères, beaucoup plus d'espèces que pour tout autre animal. La plupart sont inoffensifs, mais vous voudrez peut-être en éviter quelques-uns...

5 LE CARABE

LONGUEUR : Jusqu'à 25 mm

ARMES FATALES : Possède une chambre spéciale située dans l'abdomen pour mélanger des produits chimiques explosifs.

HABILETÉS EFFRAYANTES : Il attaque ses ennemis en libérant des gaz malodorants, chauds et piquants de son extrémité arrière !

4 LE STAPHYLIN

LONGUEUR : 6 mm ou moins

ARMES FATALES : Il libère une substance chimique qui provoque une éruption cutanée douloureuse.

HABILETÉS EFFRAYANTES : Provoque de mystérieuses et soudaines flambées d'éruptions cutanées.

3 L'ANTHIA

LONGUEUR : 4 – 6 cm

ARMES FATALES : Il lance un jet d'acide douloureux pour effrayer les prédateurs.

HABILETÉS EFFRAYANTES : Dégage une odeur répugnante.

2 LA MOUCHE D'ESPAGNE

LONGUEUR : 6 – 25 mm

ARMES FATALES : Elle libère une substance chimique toxique mortelle qui pique et provoque des cloques sur la peau.

HABILETÉS EFFRAYANTES : Elle se cache souvent dans le foin et est mangée par des animaux d'élevage, ce qui a des conséquences mortelles.

LE COLÉOPTÈRE TITAN

C'est probablement l'insecte qui pourrait vous faire le plus peur ! Il est énorme et fait un bruit semblable à un hélicoptère qui vole dans les airs. Ses puissantes mâchoires sont assez fortes pour mordre un crayon, mais heureusement, la plupart du temps, ces monstres laissent les humains tranquilles.

1

LONGUEUR : jusqu'à 16,5 cm

ARMES FATALES : Possède de puissantes mâchoires en forme de pinces.

HABILETÉS EFFRAYANTES : Il attaque ses ennemis avec les épines acérées situées sur ses pattes.

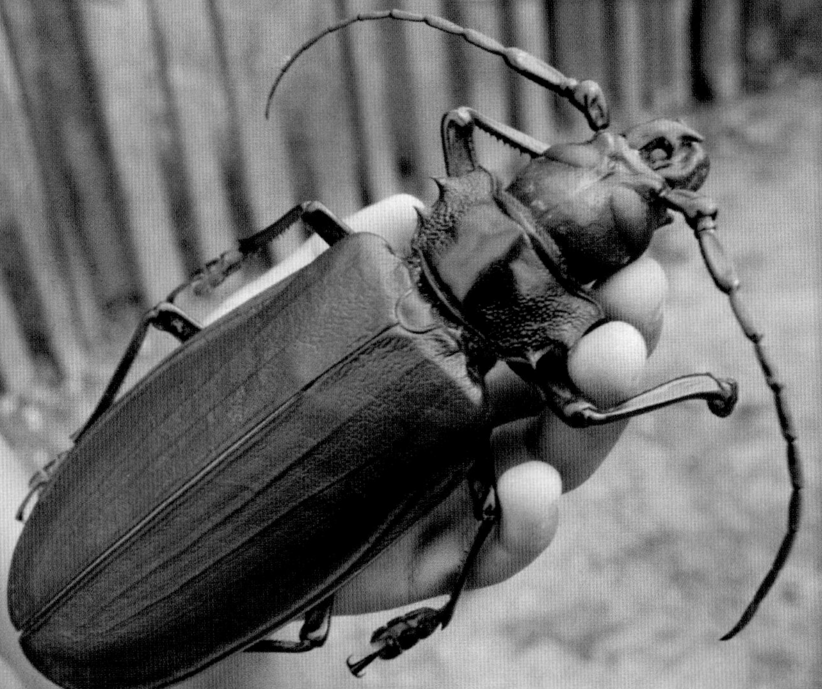

FAITS MORTELS

Après être devenus adultes à partir de larves mangeuses de bois, les coléoptères titans ne se nourrissent plus et ne vivent que quelques semaines.

LES INSECTES

Le mot insecte est utilisé pour décrire toutes sortes de bestioles. Mais les insectes sont également un ordre particulier, dont certains sont très effrayants !

5 LA PUNAISE DE LIT

LONGUEUR : Moins de 6 mm

ARMES FATALES : Son organe buccal sert à vous sucer le sang.

HABILETÉS EFFRAYANTES : Se cache dans les fissures et les crevasses, puis se faufile pendant la nuit pour vous mordre.

DEGRÉ DE FRAYEUR ?

4 LA PUNAISE ASSASSINE

LONGUEUR : environ 25 mm

ARMES FATALES : Son « bec » est épais et courbé et injecte du poison, ce qui provoque une morsure douloureuse.

HABILETÉS EFFRAYANTES : Poignarde sa proie, lui injecte un venin qui liquéfie ses organes internes et l'aspire ensuite !

3 LE NOTONECTE

DEGRÉ DE FRAYEUR ?

LONGUEUR : Environ 6 mm

ARMES FATALES : Sa morsure est puissante et lancinante.

HABILETÉS EFFRAYANTES : Utilise ses longues pattes en forme de rame pour nager vite sur le dos.

2 LE LÉTHOCÈRE

LONGUEUR : 10 – 13 cm

ARMES FATALES : Il est immense et sa morsure est horriblement douloureuse.

HABILETÉS EFFRAYANTES : Il peut se déplacer rapidement en nageant, en courant ou en volant.

LE TRIATOME

Le nom anglais de cet insecte, « Kissing bug », le fait paraître sympathique, mais son nom provient en fait de l'habitude du triatome de mordre les gens autour des yeux ou de la bouche pendant qu'ils dorment. Ces « baisers » transportent et propagent une horrible maladie, la maladie de Chagas, qui peut être mortelle.

LONGUEUR : 19 – 32 mm

ARMES FATALES : Propage la maladie, car il suce votre sang.

HABILETÉS EFFRAYANTES : Se faufile jusqu'à vous pour vous mordre le visage. Beurk !

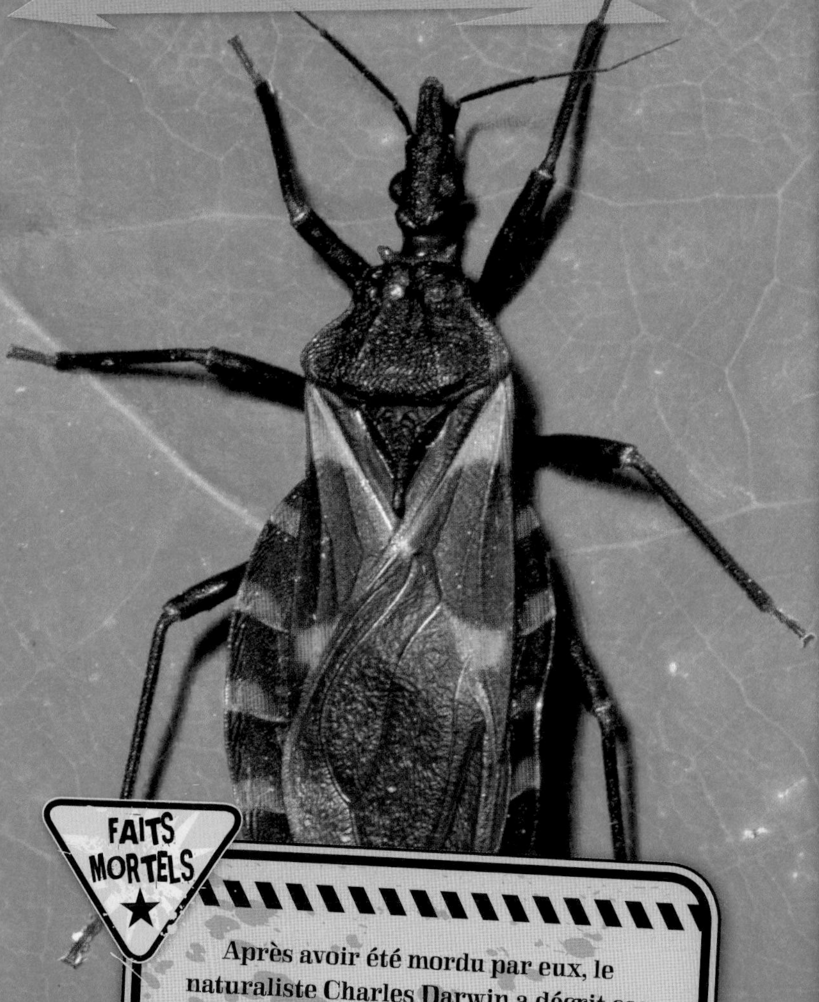

FAITS MORTELS

Après avoir été mordu par eux, le naturaliste Charles Darwin a décrit ces insectes comme « les plus dégoûtants ».

LES INSECTES LES PLUS EFFRAYANTS

Outre les abeilles, les coléoptères, les punaises et les mouches, il y a toutes sortes d'autres insectes qui pourraient nous donner envie de nous éloigner...

5 LA PROCESSIONNAIRE DU CHÊNE

DEGRÉ DE FRAYEUR ?

LONGUEUR: Environ 20 – 25 mm

ARMES FATALES: Les chenilles sont recouvertes de milliers de poils toxiques.

HABILETÉS EFFRAYANTES: Les poils se détachent et causent des éruptions cutanées et de l'asthme.

4 LA BLATTE

LONGUEUR: 3 – 5 cm

ARMES FATALES: Elle propage des germes, sent mauvais et ses excréments peuvent provoquer des allergies.

HABILETÉS EFFRAYANTES: C'est un coureur incroyablement rapide.

DEGRÉ DE FRAYEUR ?

3 LE PHASME À BANDES ROSES

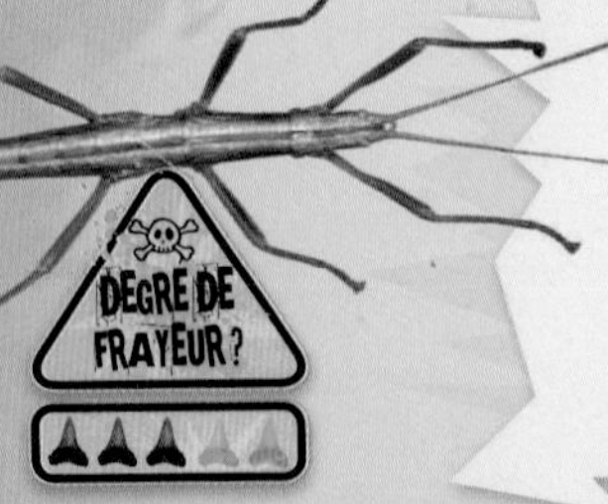

DEGRÉ DE FRAYEUR ?

LONGUEUR: 3,8 – 7,6 cm

ARMES FATALES: Il pulvérise des produits chimiques forts sur ses ennemis.

HABILETÉS EFFRAYANTES: Si le jet entre en contact avec les yeux de ses victimes, il peut les aveugler pendant un moment.

2 LES TERMITES

DEGRÉ DE FRAYEUR ?

LONGUEUR: 6 mm

ARMES FATALES: Son rostre peut mâcher le bois.

HABILETÉS EFFRAYANTES: Il peut causer l'effondrement de maisons en bois, de ponts et d'arbres.

LES LOCUSTES

Les locustes sont un type de sauterelles qui se rassemblent parfois en essaim pour manger tout sur leur passage. Ils ne mordent pas et ne piquent pas les gens, mais peuvent causer des famines qui peuvent tuer des milliers de personnes en consommant de vastes zones de cultures.

LONGUEUR : 7,6 – 9 cm

ARMES FATALES : Son organe buccal mâche les plantes.

HABILETÉS EFFRAYANTES : Peut former des essaims terrifiants de milliards d'insectes affamés.

FAITS MORTELS

Les locustes peuvent faire une savoureuse collation saine. Ils sont riches en protéines et on dit qu'ils ont un goût de crevette.

LES ARACHNIDES

La plupart des gens se méfient naturellement des araignées, et il y a une bonne raison à cela. Certaines espèces sont très dangereuses pour les humains.

5 L'ARAIGNÉE RECLUSE BRUNE

LONGUEUR : environ 2,5 cm

ARMES FATALES : Sa vilaine morsure peut faire pourrir la peau et la chair.

HABILETÉS EFFRAYANTES : Elle se cache dans de vieux vêtements et des gants.

DEGRÉ DE FRAYEUR ?

4 LA TARENTULE BLEU COBALT

LONGUEUR : 10 – 15 cm

ARMES FATALES : Sa morsure est puissante et elle a une attitude très grincheuse.

HABILETÉS EFFRAYANTES : Elle se déplace rapidement.

3 LA VEUVE NOIRE À DOS ROUGE

LONGUEUR : environ 3,8 cm

ARMES FATALES : Sa morsure est très douloureuse et dangereuse.

HABILETÉS EFFRAYANTES : Elle se cache dans des tas d'ordures et sous les sièges des toilettes !

2 LA MYGALE AUSTRALIENNE

LONGUEUR : 5 – 7,6 cm

ARMES FATALES : Sa morsure est mortelle et sa victime peut cesser de respirer.

HABILETÉS EFFRAYANTES : Elle ondule ses grandes pattes avant noires lorsqu'elle est contrariée.

L'ARAIGNÉE BANANE

1

Cette effrayante araignée est l'une des plus venimeuses du monde. Elle vient d'Amérique du Sud, mais est parfois expédiée à travers le monde dans des régimes de bananes. Imaginez ce monstre sauter hors de votre coupe de fruits !

LONGUEUR : 10 – 12,7 cm

ARMES FATALES : Son venin tueur provoque la paralysie et la suffocation.

HABILETÉS EFFRAYANTES : Elle se cache dans des régimes de bananes.

DEGRÉ DE FRAYEUR ?

FAITS MORTELS

Elles se cachent le jour, mais la nuit, les araignées errantes sortent et... se promènent.

LES SCORPIONS

Les armes du scorpion sont de grandes pinces qu'ils font claquer à l'avant, et une immense queue recourbée à l'arrière. Tous les scorpions ne sont pas meurtriers, mais les cinq suivants sont tous des tueurs.

5 LE SCORPION NOIR SUD-AFRICAIN

LONGUEUR : 9 – 15 cm

ARMES FATALES : Sa queue est très épaisse et dotée d'un dard qui peut être mortel.

HABILETÉS EFFRAYANTES : Il peut faire gicler son venin dans les yeux de ses victimes, ce qui provoque la cécité.

DEGRÉ DE FRAYEUR ?

4 LE SCORPION NOIR

LONGUEUR : 7,6 – 10 cm

ARMES FATALES : Son venin est puissant et parfois mortel.

HABILETÉS EFFRAYANTES : Se cache souvent à l'intérieur des maisons.

DEGRÉ DE FRAYEUR ?

3 LE SCORPION NOIR À QUEUE JAUNE

LONGUEUR : 8 – 10 cm

ARMES FATALES : Sa queue est pleine de venin mortel et il possède de grandes pinces fortes.

HABILETÉS EFFRAYANTES : Étonnamment résistant, il est capable de survivre à des tempêtes de sable.

DEGRÉ DE FRAYEUR ?

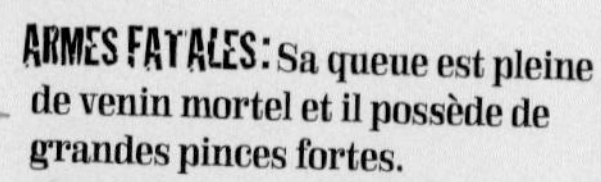

2 LE SCORPION DU DÉSERT ISRAÉLIEN

LONGUEUR : 3,8 – 9 cm

ARMES FATALES : Sa piqûre est atrocement douloureuse et dangereuse.

HABILETÉS EFFRAYANTES : Ressemble à d'autres scorpions moins dangereux. Soyez prudent !

LE SCORPION ROUGE

1

Ce scorpion extrêmement effrayant cause des décès chaque année en Inde et au Népal. Bien qu'il préfère vivre sur des terres agricoles et dans les champs, il entre aussi dans les maisons. Ensuite, il tombe parfois du plafond sur les lits des gens pendant la nuit. Ça alors !

LONGUEUR : 5 – 9 cm

ARMES FATALES : Son dard est petit, mais extrêmement meurtrier.

HABILETÉS EFFRAYANTES : Il est bon pour ramper au plafond.

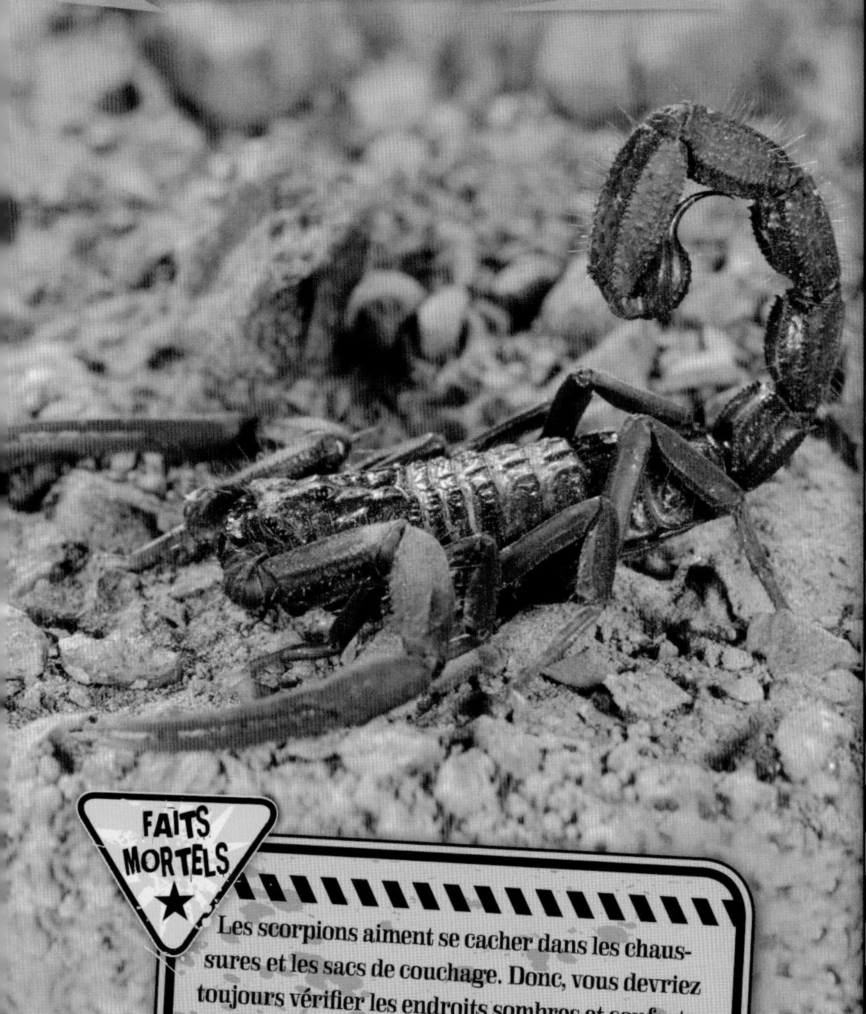

FAITS MORTELS

Les scorpions aiment se cacher dans les chaussures et les sacs de couchage. Donc, vous devriez toujours vérifier les endroits sombres et confortables lorsque vous êtes sur le territoire des scorpions !

LES PETITES BESTIOLES

Les créatures visqueuses, se tortillant et ayant plusieurs pattes, peuvent être effrayantes. La plupart d'entre elles sont assez petites et inoffensives, mais certaines sont assez grandes et peuvent infliger une douloureuse morsure !

5 LES AOÛTATS

DEGRÉ DE FRAYEUR ?

LONGUEUR : 1 – 2 mm

ARMES FATALES : Possède des mâchoires acérées pour s'accrocher à votre peau.

HABILETÉS EFFRAYANTES : Il dissout les cellules de la peau pour en sucer le jus.

4 LES SCORPIONS DE FOUET

LONGUEUR : 10 – 15 cm, avec leur longue queue en forme de « fouet ».

ARMES FATALES : Possède de puissantes griffes qui peuvent donner une pincée douloureuse.

HABILETÉS EFFRAYANTES : Vaporise de l'acide qui pique les yeux.

DEGRÉ DE FRAYEUR ?

3 LE MILLE-PATTES GÉANT AFRICAIN

DEGRÉ DE FRAYEUR ?

LONGUEUR : 25 – 28 cm

ARMES FATALES : Il libère une substance chimique qui pique la peau et peut blesser les yeux.

HABILETÉS EFFRAYANTES : Il se roule en boule brillante et dure pour éviter le danger.

2 LA SOLIFUGE

LONGUEUR : Jusqu'à 15 cm

ARMES FATALES : Sa mâchoire en forme de pinces est acérée et peut mordre à travers la peau.

DEGRÉ DE FRAYEUR ?

HABILETÉS EFFRAYANTES : Elle est terrifiante à regarder et peut courir effroyablement vite !

LE CENTIPÈDE GÉANT D'AMAZONIE

Les mille-pattes sont des chasseurs féroces qui injectent leur venin dans leur proie. Les petits ne peuvent pas blesser les humains, mais la morsure venimeuse de ce monstre est suffisante pour causer une douleur extrême et de la fièvre à la malheureuse victime.

LONGUEUR: 20 – 30 cm

ARMES FATALES: Ses griffes sur la tête sont acérées et injectent du venin.

HABILETÉS EFFRAYANTES: Il court et grimpe rapidement avec ses grandes pattes qui sont très fortes.

DEGRÉ DE FRAYEUR?

FAITS MORTELS

Comme ils pendent des plafonds des grottes, ces immenses mille-pattes attrapent facilement des chauves-souris.

LES PARASITES

Les parasites sont des créatures qui dépendent d'un autre animal pour survivre. Les parasites d'humains peuvent vivre sur ou à l'intérieur de notre corps, mangeant nos aliments ou des parties de notre corps !

5

LA DOUVE DU FOIE

DEGRÉ DE FRAYEUR ?

LONGUEUR : 3 – 7 cm

ARMES FATALES : Possède une grande puissance de succion pour se nourrir de votre foie.

HABILETÉS EFFRAYANTES : Elle pénètre dans le corps grâce au poisson de rivière cru ou aux plantes aquatiques comme le cresson.

4

L'ŒSTRE INTESTINAL

LONGUEUR : 15 – 19 mm

ARMES FATALES : Ses larves s'enfouissent dans la langue ou les gencives des chevaux, ou parfois dans la peau humaine !

HABILETÉS EFFRAYANTES : Peut parcourir de longues distances pour traquer un hôte malchanceux.

DEGRÉ DE FRAYEUR ?

3

LE VER DE GUINÉE

DEGRÉ DE FRAYEUR ?

LONGUEUR : jusqu'à 90 cm

ARMES FATALES : Il utilise des animaux aquatiques comme des crevettes comme moyen de pénétrer à l'intérieur de l'estomac des gens.

HABILETÉS EFFRAYANTES : Il creuse de l'estomac jusqu'à la jambe ou le pied et se tortille ensuite, provoquant une douleur intense.

2

LE VER SOLITAIRE

LONGUEUR : Jusqu'à 15 m

ARMES FATALES : Possède une bouche en forme de crochet pour s'accrocher à l'intérieur de l'intestin.

HABILETÉS EFFRAYANTES : Il peut atteindre une longueur impressionnante à l'intérieur de vous, car il se nourrit de tout ce que vous mangez.

DEGRÉ DE FRAYEUR ?

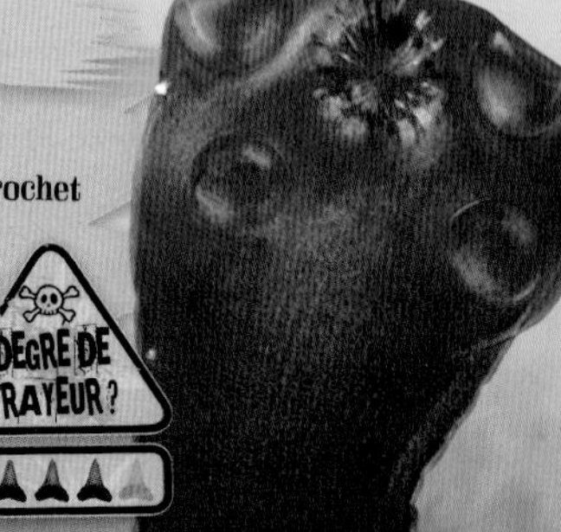

LES ANKYLOSTOMES

1

Les ankylostomes sont minuscules, mais ce sont des parasites tueurs. Ils entrent dans le corps humain par la peau et voyagent jusqu'à l'intestin. Là, ils vivent en se nourrissant du sang de leurs victimes, ce qui rend celles-ci horriblement malades.

LONGUEUR : 5 – 13 mm

ARMES FATALES : Il s'accroche à la paroi intestinale avec ses dents pointues.

HABILETÉS EFFRAYANTES : Il suce le sang par les intestins.

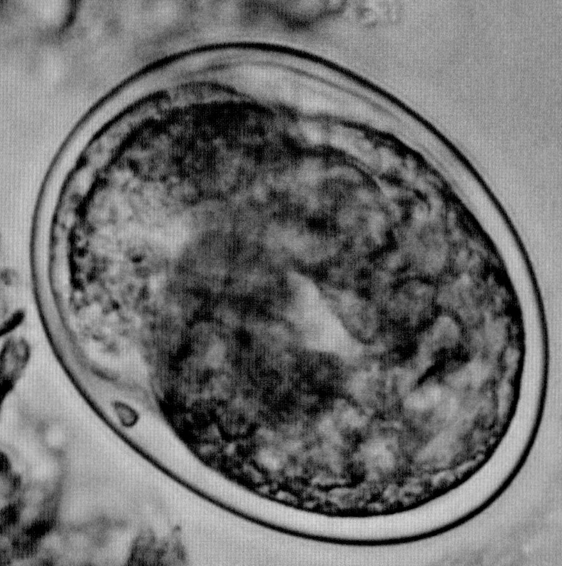

FAITS MORTELS

Environ 50 000 personnes meurent chaque année de maladies causées par l'ankylostomiase.

LES SANGSUES

Les bestioles comme les sangsues et les puces vivent en suçant le sang des mammifères, y compris celui des humains. C'est assez effrayant, mais pour empirer les choses, elles peuvent aussi propager des germes mortels.

5 LA SANGSUE TIGRE

LONGUEUR: 5 – 10 cm

ARMES FATALES: Son rostre est très long, comme une aiguille pour transpercer la peau et sucer le sang.

HABILETÉS EFFRAYANTES: Elle détecte les mouvements dans l'eau et nage vers sa victime.

4 LA LAMPROIE

LONGUEUR: 45 – 90 cm

ARMES FATALES: Possède des dizaines de dents et une langue acérée.

HABILETÉS EFFRAYANTES: Elle s'agrippe à des poissons de grande taille, aux humains, ou à d'autres victimes, et se nourrit de leur chair.

3 LA TIQUE

LONGUEUR: Jusqu'à 3 cm

ARMES FATALES: Certains types ont une bouche en forme d'aiguille ou des crocs pour sucer le sang.

HABILETÉS EFFRAYANTES: Elle peut propager des maladies graves comme la maladie de Lyme.

2 LE POU DE CORPS

LONGUEUR: 2 – 3,5 mm

ARMES FATALES: Son rostre acéré est conçu pour percer la peau et sucer le sang.

HABILETÉS EFFRAYANTES: Se cache dans les coutures de vêtements, et peut propager des maladies mortelles comme le typhus.

LA PUCE

Les puces vivent sur les animaux domestiques et autres animaux, mais elles mordent aussi les humains. Elles sucent votre sang et laissent une plaie qui démange. Les puces ont un corps dur et résistant, qui est presque impossible à écraser. La plupart du temps, les puces sont juste une nuisance, mais elles peuvent être porteuses de maladies.

LONGUEUR : 1 – 10 mm

ARMES FATALES : Son rostre en forme de dague pique dans la peau.

HABILETÉS EFFRAYANTES : Elle peut sauter incroyablement loin pour bondir sur un nouvel hôte.

FAITS MORTELS

Les puces de rats sont peut-être responsables de la propagation de la peste bubonique, qui a tué au moins 75 millions de personnes.

LE TOP 100

Si vous vous êtes rendu jusqu'ici, vous savez tout sur les différents types d'animaux redoutables. Mais lequel est le plus effrayant de tous ? Le compte à rebours suivant vous indiquera quelle est la créature la plus effrayante dans le monde entier !

La chouette hulotte

Un grand hibou originaire d'Asie et d'Europe. Elle utilise ses griffes acérées pour déchirer quiconque s'approche trop près de son nid.

La tique

Les tiques s'accrochent à la peau des animaux ou des humains pour sucer leur sang, propageant parfois des maladies.

Les termites

Ces insectes cafards vivent dans les régions chaudes du monde. Elles se nourrissent de bois et peuvent endommager les bâtiments.

Le milan du Mississippi

Ce petit oiseau de proie des États-Unis provoque des problèmes en plongeant et en attaquant les gens et les voitures dans les villes.

Le phlébotome

Une petite mouche tropicale qui a causé des centaines de morts en Inde par la propagation d'une maladie mortelle.

Le grand aigle de mer

Ce massif oiseau de proie européen et asiatique est assez grand pour transporter un bébé ou un jeune enfant.

Le cygne tuberculé

Ce bel oiseau aquatique de grande taille peut attaquer dangereusement pour défendre son nid.

L'autruche

Cet oiseau africain ne peut pas voler mais il est très rapide à la course. C'est le plus grand oiseau du monde et son coup de pied est mortel.

Le pou de corps

Les poux sucent votre sang et vivent sur votre corps. Ils peuvent, dans certaines circonstances, propager de graves maladies.

Le crapaud géant

Ce gros crapaud est recouvert d'un liquide visqueux qui est un poison mortel pour de nombreux animaux.

Le gypaète barbu

Un puissant vautour d'Europe, d'Asie et d'Afrique qui peut attaquer des animaux vivants y compris les humains.

Le grand cachalot

Cette immense baleine vorace peut riposter férocement en cas d'attaque par les humains.

L'éléphant de mer austral

C'est un phoque énorme et puissant qui pourrait facilement aplatir un humain, mais il choisit généralement d'autres éléphants de mer.

Le grand requin-marteau

Ce grand requin côtier possède une étrange forme de tête. Le grand requin-marteau est vraiment un poisson redoutable.

Le concombre de mer du Nord

Ces créatures de la mer possèdent une arme secrète très dangereuse : elles libèrent des fils toxiques collants qui peuvent causer la cécité.

Le dragon bleu

Cette créature bleue de la mer que l'on retrouve partout dans le monde entier est minuscule, mais sa piqûre est très douloureuse.

Le coléoptère titan

Très effrayant à voir, ce coléoptère massif de l'Amérique du Sud peut mordre fort.

Le Taïpan du désert

Bien qu'il soit l'un des serpents les plus venimeux du monde, le Taïpan du désert est si peu agressif qu'il dérange rarement les humains.

La hyène

Cet animal d'Asie et d'Afrique ressemble à un chien, est dur et féroce, et ses morsures sont très puissantes.

Le makaire bleu

Ce poisson de mer est énorme et très rapide et possède un énorme pic sur son museau. Il se battra contre quiconque tentera de l'attraper.

L'épaulard

Malgré son nom anglais (Killer Whale), l'épaulard, ou orque, s'attaque rarement aux gens, excepté en captivité où il peut être dangereux.

La fourmi légionnaire

Ces fourmis forment des essaims massifs dans la jungle africaine, et passer près d'elles ne serait certainement pas amusant !

Le casoar

Cet oiseau incroyablement féroce est incapable de voler. Il habite l'Australie et la Nouvelle-Guinée et possède des griffes fortes et acérées.

Le barracuda

Gros poisson argenté doté de dents pointues, qui se retrouve dans les mers tropicales. Il est féroce et peut vous mordre horriblement fort.

Le léopard

Le redoutable léopard tacheté de l'Afrique et de l'Asie peut devenir un incroyable tueur dans certaines situations.

Le lycaon

Ce chien sauvage d'Afrique est intelligent et est un excellent chasseur en meute pour abattre de grosses proies.

Le requin à longues nageoires

Ce requin est très rapide et féroce et mange parfois des cadavres, voire des survivants de naufrages.

Le calmar de Humboldt

Grand, rapide et très intelligent, ce calmar vit dans le Pacifique oriental où il est craint par les populations locales.

La pastenague

Les pastenagues nagent dans les mers tropicales et les rivières du monde entier, et peuvent infliger une piqûre douloureuse avec les épines de leur queue.

Le buffle d'Afrique

Semblable à une vache, cet animal est plus intelligent qu'il n'y paraît. Le buffle d'Afrique est connu pour attaquer et pour se venger.

Le lion

Les lions se retrouvent principalement en Afrique. Ils sont reconnus pour être féroces, mais en réalité ils ne sont pas aussi dangereux que les tigres.

Le serpent de mer olive

Un serpent venimeux qui vit autour des récifs coralliens dans le Pacifique et l'océan Indien. Il évite l'homme la plupart du temps.

Le bongare indien

C'est un serpent dangereux de l'Inde. Sa morsure peut être mortelle si les victimes ne reçoivent pas de traitement rapidement.

Le rhinocéros noir

Le rhinocéros noir d'Afrique est un grand mangeur de plantes, mais il a un mauvais caractère et peut charger ses ennemis.

Le requin bleu

C'est un grand requin océanique très rapide que l'on retrouve dans le monde entier. Il est reconnu pour attaquer et tuer des êtres humains.

Le ver solitaire

C'est un parasite répugnant qui peut vivre à l'intérieur des entrailles d'une personne pendant des années, et atteindre des mètres. Beurk !

Le serpent à sonnettes

Il se retrouve en Amérique et est très venimeux, même s'il ne mord que si on le provoque.

Le serpent liane

Ce serpent africain possède un venin extrêmement mortel, mais heureusement il ne mord pas souvent.

Le scorpion noir Sud-africain

Un scorpion effrayant de l'Afrique australe qui peut à la fois piquer et vaporiser son venin avec sa queue.

Le chimpanzé

Ce singe africain possède une taille similaire à celle d'un être humain, mais il est beaucoup plus fort et capable d'attaques meurtrières.

Le caïman noir

Extrêmement gros, cet animal d'Amérique du Sud considère les humains comme une friandise.

Le python des roches

Ce serpent constricteur est le plus grand serpent d'Afrique. Les attaques contre les humains sont rares, quoiqu'on en recense quelques-unes.

La méduse-boîte

C'est une dangereuse méduse que l'on retrouve au Japon et dans certaines régions d'Asie. Semblable à la méduse-boîte tueuse, mais en plus petit.

La vipère hébraïque

Ce serpent d'Afrique est timide, mais très venimeux, et le manque de soins médicaux peut parfois entraîner le décès de la victime.

L'astrotie de stokes

Ce serpent de mer est très grand et doté d'énormes crocs et d'une morsure venimeuse, mais il cause rarement des pertes de vies humaines.

Le lézard perlé mexicain

C'est un lézard dangereux que l'on retrouve au Mexique. Sa morsure est venimeuse et provoque une douleur intense.

La guêpe tarentule

Cette guêpe énorme et redoutable des Amériques n'est pas mortelle, mais sa piqûre est très douloureuse.

L'anguille électrique

L'anguille d'Amérique du Sud se retrouve dans les rivières où elle tue ses ennemis en les électrocutant. C'est l'animal électrique le plus puissant du monde.

L'abeille meurtrière

Une race dangereuse d'abeilles. Les abeilles meurtrières attaquent souvent en essaim et peuvent piquer les gens à mort.

L'alligator d'Amérique

C'est un très grand et puissant prédateur que l'on retrouve aux États-Unis. Cet alligator inflige une morsure puissante.

Le scorpion noir

L'un des nombreux scorpions dangereux que l'on retrouve dans le désert d'Arabie, avec une queue épaisse pour entreposer son puissant venin.

Le poisson-papillon

Ce poisson épineux et extrêmement venimeux se retrouve dans les océans Indien et Pacifique. Sa piqûre est parfois fatale.

L'ours lippu

Cet ours indien est lent mais très féroce. Il a mauvais caractère et est reconnu pour attaquer les humains.

La mygale australienne

C'est une grande araignée noire australienne qui tisse une toile en forme de tube et sa morsure est très grave, parfois mortelle.

Le serpent d'arbre du Cap

Ce serpent africain aux grands yeux prodigue une morsure mortelle que les victimes ne sentent pas au premier abord.

La veuve noire à dos rouge

Provenant d'Australie, cette araignée prodigue une morsure extrêmement douloureuse.

Le cobra cracheur géant

Ce grand cobra africain prodigue une morsure douloureuse et la capacité de cracher du venin, ce qui peut causer la cécité de ses victimes.

Le centipède géant d'Amazonie

C'est un monstre très rapide possédant plusieurs pattes qui inflige une morsure venimeuse extrêmement désagréable.

Le léopard de mer

Ce phoque géant, rapide et féroce habite en Antarctique, où il se nourrit principalement de manchots et d'autres phoques.

Les ankylostomes

Ils sont peut-être petits et difficiles à voir, mais les ankylostomes font de redoutables ravages dans les entrailles de leurs hôtes.

Le locuste

Les criquets peuvent causer la famine en se déplaçant en essaim et dévorer de vastes zones de cultures.

La puce

Les puces peuvent transmettre la peste bubonique, qui peut être traitée facilement aujourd'hui, mais qui a tué des millions de personnes dans les années 1300.

Le triatome

Cette mouche suceuse de sang d'Amérique du Sud mord ses victimes sur le visage et propage la maladie mortelle de Chagas.

La mouche tsé-tsé

Cette mouche africaine suceuse de sang propage plusieurs maladies mortelles, y compris la maladie du sommeil.

Les moustiques

Les petits moustiques sont véritablement redoutables lorsqu'il s'agit de propager le paludisme et d'autres maladies mortelles.

L'anaconda vert

Il est le plus grand serpent du monde et on le retrouve en Amérique du Sud. Il peut facilement attraper de grosses proies, les étouffer à mort et les avaler.

Le cône géographe

Ses attaques sont rares, mais cet escargot de mer, que l'on retrouve en eau peu profonde des océans chauds et tropicaux, pique douloureusement.

L'oursin fleur

L'oursin fleur est une lente créature de mer épineuse donnant une piqûre douloureuse et parfois mortelle.

Le requin-taupe bleu

C'est un requin rapide et féroce que l'on retrouve autour du monde. Le requin-taupe bleu peut être un ennemi redoutable.

Le loup gris

Avec leurs hurlements effrayants, les loups peuvent être vraiment redoutables. Ils vivent dans la plupart des régions les plus froides du monde.

Le requin bouledogue

C'est un grand requin très fort que l'on retrouve dans les eaux côtières. Il nage aussi dans les rivières et est souvent responsable d'attaques.

L'ours blanc

L'ours polaire semble plus mignon que redoutable, mais attention, il est très dangereux quand on s'approche.

Le poisson-chat Goonch

Le poisson-chat Goonch est un immense et effrayant poisson d'Asie qui peut chasser la chair humaine pour manger.

L'éléphant

Ils ont la réputation d'animaux pacifiques, mais les éléphants sont assez redoutables. Ils tuent des centaines de personnes chaque année.

La fourmi bouledogue

Cette fourmi australienne est très grosse et redoutable et sa morsure est insupportablement douloureuse et parfois dangereuse.

Le requin-tigre

L'énorme requin-tigre est un chasseur vorace que l'on retrouve dans les mers tropicales. Il est connu pour dévorer un large éventail de proies.

La vipère de Russell

C'est une vipère très venimeuse que l'on retrouve à travers l'Asie. C'est l'un des serpents dangereux les plus communs du monde.

Le cobra cracheur des Philippines

Ne se retrouve que dans les îles des Philippines. C'est un gros serpent très dangereux qui peut cracher du venin.

Le carcajou

C'est un mammifère féroce, audacieux et très fort que l'on retrouve dans les forêts du Nord. Le carcajou peut attaquer presque n'importe quel ennemi.

Le fer de lance

C'est un grand serpent anormalement agressif que l'on retrouve en Amérique du Sud et en Amérique centrale.

Le varan du Nil

Le plus grand crocodile de l'Afrique et un monstre puissant qui peut attraper tout ce qui est dans ou autour des lacs et rivières où il vit.

Le frelon géant asiatique

Cette énorme guêpe de l'Asie orientale donne une piqûre très douloureuse et puissante qui peut même tuer.

Le scorpion noir à queue jaune

C'est un scorpion mortel de l'Afrique du Nord doté d'une queue redoutable très épaisse remplie de venin mortel.

Le python réticulé

Ce serpent d'Asie du Sud est un énorme et long constricteur reconnu pour manger les humains.

Le poisson-pierre

C'est le poisson le plus venimeux du monde. Le poisson-pierre vit dans les eaux peu profondes des océans Pacifique et Indien.

La grenouille dendrobate bicolore

L'un des poisons les plus meurtriers du monde se retrouve sur la peau gluante de cette petite grenouille aux couleurs vives d'Amérique du Sud.

Le cobra à lunettes

Ce grand serpent asiatique prodigue une morsure mortelle, ce qui en fait l'un des serpents les plus redoutés de la planète.

Le scorpion du désert israélien

Un petit mais meurtrier scorpion du désert de l'Afrique du Nord et du Moyen-Orient possédant du venin très puissant.

La méduse-boîte australienne

C'est l'un des animaux les plus venimeux du monde. Chaque année, des gens meurent de ses piqûres.

Le grand requin blanc

C'est le requin le plus redoutable de tous. Le grand requin blanc peut facilement engloutir une proie de taille humaine et encore plus.

Le serpent de mer à bec

Ce serpent de mer est extrêmement venimeux et se retrouve dans les océans Indien et Pacifique. Il a mauvais caractère et mord souvent.

Le scorpion rouge

Probablement le plus venimeux de tous les scorpions. Le scorpion rouge est un tueur redouté dans certaines parties de l'Asie.

L'hippopotame

Ce géant africain herbivore et amoureux des rivières est une bête redoutable, qui peut tuer en mordant et en piétinant.

Le tigre

Il est le plus redoutable des grands félins. Le tigre vit en Asie, où il est reconnu pour chasser les humains délibérément.

L'araignée banane

C'est l'araignée la plus meurtrière et redoutable du monde. Cette vilaine bestiole poilue d'Amérique du Sud prodigue une morsure mortelle.

Le dragon de Komodo

C'est le plus grand lézard du monde et il peut attraper et manger de grosses proies. Il se retrouve seulement sur les petites îles d'Indonésie.

Le poulpe australien

L'un des plus petits poulpes, mais le plus venimeux du monde. Il vit dans les récifs et les cuvettes de marée un peu partout en Asie et en Australie.

Le grizzli

Il se retrouve dans les parties nordiques du monde. Les grizzlis sont gros, sauvages, forts et incroyablement redoutables.

Le crocodile marin

C'est le crocodile le plus grand et le plus meurtrier du monde. Ce géant vert rôde dans les océans, les rivières et les marécages.

Le mamba noir

Cette bête arrive en première place pour sa vitesse, son agressivité, mais surtout pour son venin mortel. Une morsure de mamba noir peut tuer une personne en 20 minutes, et est toujours mortelle si elle n'est pas traitée.

GLOSSAIRE

ACIDE Un produit chimique qui peut dissoudre d'autres substances.

AÉRODYNAMIQUE Avoir une longue forme arrondie pour se déplacer facilement dans l'eau ou dans l'air.

AGRESSIF Facilement en colère et susceptible d'attaquer.

ALLERGIE Une réaction dangereuse à une substance particulière dans le corps.

BACTÉRIES Des êtres vivants minuscules qui peuvent parfois causer des maladies.

BÛCHER FUNÉRAIRE Un feu pour brûler un cadavre, parfois construit sur une rivière.

CANNIBALISME Le fait de manger d'autres animaux de la même espèce.

CAMOUFLAGE Les marques ou les couleurs qui permettent à l'animal de se fondre dans son environnement.

CAPTIVITÉ Être conservé dans un zoo, un aquarium ou dans un autre espace clos.

CÉPHALOPODES Famille d'animaux qui comprend les poulpes et les calmars.

CHAROGNARD Recherche les restes, les ordures ou des animaux morts en guise de nourriture.

CHAROGNE Chair d'animaux morts.

COLUBRIDÉS Famille de serpents qui comprend les serpents d'arbre et les serpents liane.

CONSTRICTEUR Groupe de serpents qui compriment leur proie à mort.

ÉCHINODERMES Groupe de créatures marines qui comprend les étoiles de mer et les oursins.

ÉLAPIDÉS Famille de serpents qui comprend les mambas et les cobras.

FOSSETTES Trous sur les têtes de certains serpents, utilisés pour détecter la chaleur du corps de la proie.

IMMUNITAIRE Réfractaire aux agents pathogènes, à une maladie infectieuse.

INDIGÈNE Originaire d'une région ou d'un pays.

INTESTINS Tubes qui transportent la nourriture à l'intérieur du corps, aussi appelés tripes.

LARVE Le stade de bébé de quelques types d'insectes.

MOELLE OSSEUSE Substance grasse se retrouvant à l'intérieur des os.

MUSTÉLIDÉ Famille de mammifères qui comprend les belettes et les loutres.

RÉCIFS CORALLIENS Structure semblable à un coquillage construite dans la mer par des créatures marines minuscules appelées polypes coralliens.

NÉMATOCYSTES Cellules urticantes que l'on retrouve sur les tentacules de méduses.

PARASITE Une créature qui vit sur un autre être vivant ou en tire sa nourriture.

POLLINISER Diffuser le pollen d'une plante à l'autre, ce qui permet aux plantes de produire des graines.

PRÉDATEUR Un animal qui chasse et mange d'autres animaux.

SERRES Griffes acérées, en particulier celles des oiseaux.

TENACE Têtu et ne lâchant pas prise facilement.

TENTACULES Longues parties du corps qui traînent ou qui pendent que l'on retrouve sur les animaux comme les méduses et les calmars.

TOXINE Un poison.

INDEX

CRÉDITS PHOTOGRAPHIQUES

L'éditeur tient à remercier les agences suivantes pour l'autorisation d'utiliser leurs images.

Clés : h=haut, d=au-dessus, b=bas, s=sous

Pages : 1 Imagebroker/FLPA ; 2–3 Imagebroker/FLPA ; 6 Emanuele Biggi/FLPA ; 7h Imagebroker/FLPA, 7s Minden Pictures/FLPA ; 8h Chris Mattison/FLPA, 8d/b Imagebroker/FLPA, 8s Bisophoto/FLPA ; 9 Chris Mattison/FLPA ; 10h Michel Gunther/FLPA, 10d Biosphoto/FLPA, 10b HO/Reuters/Corbis, 10s Biosphoto/FLPA ; 11 Minden Pictures/FLPA ; 12h Imagebroker/FLPA, 12d Minden Pictures/FLPA, 12b Photo Researchers/FLPA, 12s Rohan Clarke/Wildlife Images ; 13 Wolfgang Poelzer/Getty ; 14h/d/b Photo Researchers/FLPA, 14s Dinodeia Photos/Alamy ; 15 FLPA ; 16h Minden Pictures/FLPA, 16d/b Imagebroker/FLPA, 16s Thierry Montford/FLPA ; 17 Imagebroker/FLPA ; 18h/d Minden Pictures/FLPA, 18b Imagebroker/FLPA, 18s Biosphoto/FLPA ; 19 Minden Pictures/FLPA ; 20h Bisphoto/FLPA, 20d/b Minden Pictures/FLPA, 20b Fritz Polking/FLPA ; 21 Biosphoto/FLPA ; 22h Imagebroker/FLPA, 22d Minden Pictures/FLPA, 22b Imagebroker/FLPA, 22s Gerard Lacz/FLPA ; 23 Minden Pictures/FLPA ; 24h Minden Pictures/FLPA, 24d Imagebroker/FLPA, 24b/s Minden Pictures/FLPA ; 25 Krystyna Szulecka/FLPA ; 26h Minden Pictures/FLPA, 26d Biosphoto/FLPA, 26b Minden Pictures/FLPA, 26s Mark Sisson/FLPA ; 27 Minden Pictures/FLPA ; 28h Reinhard Dirscherl/FLPA, 28d/b Imagebroker/FLPA, 28s Reinhard Dirscherl/FLPA ; 29 Minden Pictures/FLPA ; 30h Minden Pictures/FLPA, 30d Photo Researchers/FLPA, 30b Bisophoto/FLPA, 30s Minden Pictures/FLPA ; 31 Minden Pictures/FLPA ; 32h Reinhard Durscherly/FLPA ; 32d Malcolm Schuyl/FLPA, 32b Claus Meyer/FLPA, 32s Imagebroker/FLPA ; 33 Arkive ; 34h Colin Marshall/FLPA, 34d Imagebroker/FLPA, 34b Reinhard Dirscherl/FLPA, 34s Imagebroker/FLPA ; 35 Reinhard Dirscherl/FLPA ; 36h Reinhard Dirscherl/FLPA, 36d/b Biosphoto/FLPA, 36s Franco Banfi ; 37 WaterFrame/Alamy ; 38h Minden Pictures/FLPA, 38d Panda Photo/FLPA, 38b Jurgen Freund/Naturepl.com, 38s Minden Pictures/FLPA ; 39 Panda Photo/FLPA ; 40h Minden Pictures/FLPA, 40d Christian Darkin, 40b Claus Lunau both Science Photo Library, 40s Minden Pictures/FLPA ; 41 Minden Pictures/FLPA ; 42h/d Minden Pictures/FLPA, 42b Colin Marshall/FLPA, 42s Biosphoto/FLPA ; 43 Minden Pictures/FLPA ; 44h Bruno Guenard/FLPA, 44d Reinhard Dirscherl/FLPA, 44b Minden Pictures/FLPA, 44s Minden Pictures/FLPA ; 45 Minden Pictures/FLPA ; 46h Photo Researchers/FLPA, 46d Imagebroker/FLPA, 46b Biosphoto/FLPA ; 47 Colin Marshall/FLPA ; 48h Jurgen & Christine Sohns/FLPA, 48d Imagebroker/FLPA, 48b/s Minden Pictures/FLPA ; 49 Wild Wonders of Europe/Lundgren/Nature ; 50h Bruno Guenard/FLPA, 50d Jurgen & Christine Sohns/FLPA, 50b/s Minden Pictures/FLPA ; 51 Minden Pictures/FLPA ; 52h Steve Maslowski/FLPA, 52d Jurgen & Christine Sohns/FLPA, 52b Mark Newman/FLPA, 52s Jules Cox/FLPA ; 53 Paul Sawer/FLPA ; 54h/d Minden Pictures/FLPA, 54b Mark Hosking/FLPA, 54s Imagebroker/FLPA ; 55 Jurgen & Christine Sohns/FLPA ; 56h Martin B Withers/FLPA, 56d David Hosking/FLPA, 56b Imagebroker/FLPA, 56s Shem Compion/FLPA ; 57 Minden Pictures/FLPA ; 58h Paul Hobson/FLPA, 58d S & D & K Maslowski/FLPA, 58b FN/FLPA, 58s FN/FLPA ; 59 Konrad Wothe/FLPA ; 60h Imagebroker/FLPA, 60d Minden Pictures/FLPA, 60b Andrew Forsyth/FLPA, 60s Minden Pictures/FLPA ; 61 Minden Pictures/FLPA ; 62h Andrew Forsyth/FLPA, 62d/b Minden Pictures/FLPA, 62s Imagebroker/FLPA ; 63 Imagebroker/FLPA ; 64h Minden Pictures/FLPA, 64d David Tipling/FLPA, 64b Minden Pictures/FLPA, 64s Bill Coster/FLPA ; 65 John Hawkins/FLPA ; 66h Biosphoto/FLPA, 66d Martin B Withers/FLPA, 66b Minden Pictures/FLPA, 66s Harri Taavetti/FLPA ; 67 Richard Costin/FLPA ; 68h/d Minden Pictures/FLPA, 68b S & D & K Maslowski/FLPA, 68s David Hosking/FLPA ; 69 Fabrice Simon/FLPA ; 70h Roger Tidman/FLPA, 70d Ignacio Yufera/FLPA, 70b Jurgen & Christine Sohns/FLPA, 70s John Holmes/FLPA ; 71William S. Clark/FLPA ; 72h Minden Pictures/FLPA, 72d Imagebroker/FLPA, 72b David Tipling/FPLA, 72s Minden Pictures/FLPA ; 73 Jurgen & Christine Sohns/FLPA ; 74h Minden Pictures/FLPA, 74d Andrew Parkinson/FLPA, 74b/s Imagebroker/FLPA ; 75 Andrew Parkinson/FLPA ; 76/77 Minden Pictures/FLPA ; 78h/Minden Pictures/FLPA, 78b Visuals Unlimited, Inc./Eric Tourneret, 78s Minden Pictures/FLPA ; 79 Shem Compion/FLPA ; 80h Imagebroker/FLPA, 80d Martin B Withers/FLPA, 80b Minden Pictures/FLPA, 80s Photo Researchers/FLPA ; 81 Robin Chittenden ; 82h Minden Pictures/FLPA, 82d Konrad Wothe/FLPA, 82b/s Nigel Cattlin/FLPA ; 83 Nigel Cattlin/FLPA ; 84h/d Larry West/FLPA, 84b Photo Researchers, 84s Imagebroker/FLPA ; 85 Minden Pictures/FLPA ; 86h Minden Pictures/FLPA, 86d Edward Myles/FLPA, 86b/s Imagebroker/FLPA ; 87 Photo Researchers/FLPA ; 88h Imagebrokers/FLPA, 88d Nigel Cattlin/FLPA, 88b Photo Researchers/FLPA, 88s Minden Pictures/FLPA ; 89 Nigel Cattlin/FLPA ; 90h Ron Austing/FLPA, 90d Photo Researchers/FLPA, 90b Neil Bowman/FLPA, 90s Photo Researchers/FLPA ; 91 Emanuele Biggi/FLPA ; 92h David Hosking/FLPA, 92b Emanuele Biggi/FLPA, 92s David Hosking/FLPA ; 93 Fabio Pupin/FLPA ; 94h Lester V. Bergman/Corbis, 94d Photo Researchers/FLPA, 94b Minden Pictures/FLPA, 94s Chris Mattison/Nature ; 95 Photo Researchers/FLPA ; 96h Photo Researchers/FLPA, 96d Roger Tidman/FLPA, 96b Photo Researchers/FLPA, 96s Life Science Image/FLPA ; 97 Photo Researchers/FLPA ; 98h Minden Pictures/FLPA, 98d Photo Researchers/FLPA, 98b Imagebroker/FLPA, 98s Photo Researchers/FLPA ; 99 Biosphoto/FLPA ; 107 Sue Green/Getty